こちら葛飾区亀有公園前派出所⑬

※本文中に出てくる数々のデータ、数字等はコミックス掲載時のものです。

こちら葛飾区亀有公園前派出所⑬

目次

人生は夢のごとく…の巻

亀有公園前派出所
ガオオオム

なにィ
穴掘りを
手伝って
ほしいだと!
片岡しげ子

こいつの
とり柄は
バカ力だけ
ですから
自由に使って
ください
ちえっ
まいったな!
すまないね

ゴミを捨てる
穴を 掘って
ほしいんだ
がね
なんで
わしの
ところへ
くるんだ

あんたん家
地主で
金持ちなん
だから
職人に
頼めよ！
なかなか
いそがしくて
きてもらえ
ないんだよ

そこに
大きめの穴を
掘ってよ
頼んだよ
こういう事で
警察を
たよっちゃ
いかんぞ！
まったく
ふう
こんなもんで
いいだろ

むっ
なんだ
あれは?

小判
だ……
えらい物
発見したぞ
……

なんちゃって
どうせ
オモチャだろ
世の中 そんな
甘くない!
ポイ

しかし
万が一と
いう事が
ある!
まだ
多少
甘さが
残ってるかも
しれんぞ!

両さん
もう
終わったの
かい?
ちょっと
ひと休み!
すぐ
もどって
くるよ

切手・古銭・古美術 高価買入
インチキ堂

う～～む
この小判
まさしく本物に
まちがい
ない!!
やったあ!
価値は
どのくらいだ
いったい!?

よろしい！私が300円で引きとりましょう
じゃなくて！価値をきいてるんだよ！

わかりました！じゃ3万円で引きとりましょう
ちがう!!この小判の価値はいくらなんだ!?

お客さんには負けました！30万円で引きとりますよ！
こ…このやろう……

やめた！この小判おまえには売らん！
えっそそんな！

それは江戸末期に作られた安物で価値はないに等しいですよほんと！

それならどうして300円から30万円に価値があがるんだよ！
いや！それは……その…
価値はないんですが…個人的にそれがほしいので……

おまえの態度でこの小判は相当高い物とみた！サンキュー
あっお客さん！40万で買いますよいや50万円！
だめっその数倍の価値があるはずだ！

まだ
あの庭に
埋まってる
かも
しれんぞ
これこそ
神が 与えて
くださった
チャンスだ!

あれ
ヒュッ

今 先輩が
血相 変えて
すっとんで
いきました
よ!
なん
だと!

不吉な
予感がする
中川
調べてこい
はい!

また
あったぞ

これで
31枚目だ
やったぜ
!
どう安く
み積もっても
億万長者は
まちがいなしだ
へっへっへっ

江戸時代
ここは
金持ちの
屋敷だった
のかも……
ん!
ズッ

げっ！なな中川!?
何してるんです？そんなところで…

みりゃわかるだろゴミ捨ての穴を掘ってるんだよ！
これじゃ地下鉄が通れますよ！

こんなに掘っちまったのかい！両さん！
これならむこう20年間はゴミを捨てられるぞバアさん

とにかくまあお茶でも飲んでいきなよ
いや！ちょっと急用ができたのでこれで！

さっきの小判なんですか？
ドキッ

な 何をいい出すやら中川くん…きみは白昼夢でもみたんじゃないのかね？
さっき穴の中で拾っていたでしょう！

小判って!?
バアさんなんでもない！この中川は仕事しすぎで頭がパラダイス！たわごとをいっとるのだよ！

いっぱい
もってたんじゃ
ないですか
小判！
ばかな事
いうな！
私が　小判を
31枚もってる
というのか！
侮辱罪で
訴えて
やるぞ！

あっ
チャリン

おっと
そう
そう
いけねェ
ピシャッ
さっき
穴掘りしてた
時 小判を
発見して
しまったんだ
忘れてた！
こりゃあ
まいったな

小判が
でてきた
のかい？
そうなの
ザクザクと
よかったね
バアさん
はははは
はは
ジャラ
ジャラ

いやあ！
まちがえて
もって帰る
ところだったよ
あぶなかった
それにしても
中川くん
目が いいねえ
両方
2.0です
ポン

YAMAHA

ふーん
そうなの
この目玉が
よすぎるん
だよねえ
本当に
うらやましい
目玉め!!
あいたっ
グリッ

ほう
すごいな
！
下町で小判発見!!
調査団の調べで千両箱も
時価10億円相当
この近く
だぞ！
ほら
ちくしょう
ついて
ないなあ！

なんで 元もと
金持ちが
さらに金持ちに
なるんだよ
くそ！
世の中
不公平だぞ
どうなってる
んだ！
こちらに
両津さん
おられ
ますか？
その
男だが…

私 下町銀行の
者ですが
地主の金有さんから
先日のお礼を
両津さんに！
金一封って
ところか！
これを
ご縁に
下町銀行を
よろしく
わかったよ
帰った！
帰った！
なんで
貯金額2800円の
わしが
銀行のご縁に
ならなきゃ
いけないんだ
ひと目みて
わかるじゃ
ないですか
ねえ！

大きな
お世話だ
だまれっ
ガン
あいた!

あの
ケチババア
一万円くらい
つつんで
もたせたの
かな?
なんだ!?

紙きれ一枚だけ
じゃねえか
ふざけ
やがって!
ちょっと
まて
両津

これは
小切手と
いうものだ
どれ
どれ

ドタッ
あっ
部長さん

そ その
小切手
は……
えっ
ちょっと
みせて
ください

あっ
一億円の
小切手だ!!
え――っ
両ちゃんに
一億円も!

㊟預金の利率は、変動するので現在の計算とは異なります。

なんで九千万円なんですか? 一億全部あずけた方が得でしょう?
非課税になる方法があるんだ! 残りはそっちの方が得なのだ

現在 ㊝(マルユウ)が300万まで 国債が300万まで 郵便貯金の定額預金が 300万まで 非課税になり 税金がひかれず もらえるわけだ
だから一千万円をそのようにふりわけて預金した方がいい!

国債は いいが 長期は さけろ! 今は 落ちついてるが 物価が 上がり 利率をオーバーする 可能性も ある 2年物にしておけ わかったな! また 別な方法としては 土地だ! ある意味では これが 一番 堅実で 現実的かも しれん 坪50万位としても 五千万円で 100坪は 買える! 残りを ㊝などを 利用した 貯蓄にまわす… わしの友人で くわしいのがいる そいつに きいた 話では……

頭がこわれる〜っ
あっ先輩!
ドタッ
どうした両津!?

だめですよ 部長! そんな いっぺんに 覚えこませたら チンパンジーに 因数分解 やらせるのと 同じですよ
そうか つい……
大丈夫 両ちゃん
カニの 貯金が どうしたって …?

両津 悪かったな！
絵のスペースよりも多くしゃべらないでくださいよ 頭が パンクしちゃうから

じゃ わかりやすく説明しよう
やはり！おなじみのこれか……

あるところにアリさんとキリギリスさんがいました
ある日 神様がふたりに一千万円くれました
神より

キリギリスさんは若いうちに遊んだ方が得だと思いました
すべてをレジャー費にあて 楽しくくらしたそうです
I'm off！

どうだ 預金とは大切な事という事がわかったな！
かなりわざとらしかったところがありますがなんとか…

20年後 家を建てたアリくんがベンツ500AMG仕様に乗って走ってると
道路で飢え死にしてるキリギリスをみたそうです めでたしめでたし

でも
20年先ってのは
想像つかない
すからねえ
あっしなんて
3日先の事も
考えた事
ないから…
それだから
いかんのだ

だから
キリギリス
なんだ
これからは
アリになれっ
そうですよ
先輩!
アリに
ならなきゃ
だめよ!
マルチで
いうな!
わかったよ

じゃ 今回は
部長のいう事を
きいて
全部預金
しようかな?
そうだ!!
20年後
「ああ 部長の
いう事をきいて
よかったなあ」と
いう日がくる

でも これ
本当に
一億の価値
あるんすかね
だまされ
てんじゃ
ないの

両津には
現金を みせた
方がよさそうだ
中川!
たのむ!
はい

うおおっ
うおおお

ぐおおっ
いちおく
えんっ
しんさつの
いちおく
え〜くん

うおおーーっ
これ みんな わしの金だあっ
やったあーっ
今日から億万長者だあーっ!
かなり実感がでてきたようですね
これで愛着もわくだろ!

わしのいう通りにすれば利息で生活できるぞ
はい

お金殖やしたいから部長におまかせします
おおっ
ビシ

思いおこせば10余年…
なんど裏切られたか数しれず…
しかしやっと 心をひらいて真人間になってくれたか…
気づいたらなくなってたんですよ……

もう遊んでいる年じゃありませんからね
えらい! よくぞそこまで成長した!

来年にでも取手にいい一戸建てのマイホームをみつけてやるからな!
嫁さんも心配するな わしがきっと捜してやる
ありがとうございます

明日知りあいの信託銀行の人にきてもらおう
早めに手続きした方がいいからな
よろしくお願いします!

じゃ 金を寮に置いてきますんで私は一足先に
うむ明日待ってるぞ

よかった! やっと これでわしの肩の荷がおりた気分だよ
警察の寮ならドロボウの心配ないですからね!

老後はゆっくりアパート経営か! 夢が あっていいねえ!
焼肉の肉丸
HONDA

両津さんですね!
なに!

てめえ! ドロボウかこのやろう!
ちちがいますよ!

あやしい者じゃありませんよこういう者です!

利殖研究会社……なんだ?

coffee
おかつの青春
coffee
おかつの青春

一億円　贈与されたと役所でききましてね
利殖の事でいい情報があるんですよ
だめ！絶対　株には手をだすなと部長からいわれてるからな！
もちろん素人の方が手を出しちゃ危ないですよ
しかし私のところは経済界で50年のベテラン会社ですから心配無用です
資産管理から運用まで専門家がそろってますからね
こちらで優良銘柄を捜しますのでおあずけくだされば3か月で2倍にしてさしあげます！
ゴクリ

やはりだめだ！今度だけは地味に稼ぐときめたんだからな！
そうですかそれは残念ですな
ダ
地味に生きるのもけっこうでしょう
でも　私なら株を買いますねそれだけの大金をチョビチョビ使うより一発勝負で人生を賭けますよ男として！
ピク
額が多いだけに一億あずければ3か月で二億かあ……うらやましい話だな……
男なら勝負するなやっぱし…男は　やはり挑戦しなけりゃ男だったらな
ピク
ピク
ガタン
もう一度きこうその話！
え!?
お宅利息で生活するのではなかったの？

いいから! くわしく話してみろ! 本当に倍になるのか?
もちろん まず 長期成長の企業に投資しながら中期的な株価変動も…

何っ 手続きを3か月後にしたいだとォ!?

ちょっとのばしてくださいよ!
せっかく銀行の人がきてるのだぞ!
きのう約束した……ん!

なんだこの新聞は!!
あっ

日本利殖新聞……
いや その… 日本の経済を勉強しようと思い……
おまえ まさか 株買ったんじゃないだろうな……

買ったな! そうだろ!!
ほ ほんのちょびっとだけ!
いくら買ったんだ!?

ほんの… 一億円だけ……

だめだあ こいつ… やっぱし……
ふらっ
部長 信用できる男なんです!
心配ないんですよ!

★週刊少年ジャンプ1984年49号

板池巡査の秘密!?の巻

冬の交通安
01
う〜さぶいさぶい
ガッタン

おっ新しいストーブに変えたのか？
RD500
前のストーブとうとう壊れちゃったんですよ！

根性のないやつだな
連載開始以来8年以上も使ってましたからね

おかしいな火がつかないぞ
なに！

どけ！わしにまかせろ！
わかりますか？
あちょーっ!!
あっ
壊すつもりですか!?
ばかものそういうのはショックを与えれば正常にもどるものだ
電気製品とちがうと思うんですがね？
皆同じだ！あたた！たた！
最後のきめわざは
沢村忠直伝の！
真空とびひざげり！
どりゃあ！
きまった!!

これで
心を
入れかえて
いう事を
きくように
なる
げっ
部長!!

警察の備品を
ずいぶん
荒っぽく扱う
じゃないか!
誤解ですよ
部長!
私は　いつも
愛情を　そそいで
おりますよ!
いわば　これは
愛のムチ!

タンクから
石油が
もっちゃって
ますよ!
そのくらい
大丈夫!
気に
しない!

全体に 油が
しみてた
方が　よく
燃える
本当
ですか?

うおっ
ボン

中川
消火器
だ!
はい

ストーブが
一瞬にして
パアですよ
こいつは
とんでもない
不良品だ！

部長！
このメーカーに
持っていって
新品と　かえて
もらって
くださいよ
バカ
モノッ

ストーブは
ボーナスから
天引きして
買っておく！
そりゃ
ないですよ
部長!!

まいったな
いつも
タイミングよく
でてきて
まいるよ！
悪さ
ばかり
してる
からよ

今日は
本署から
板池巡査を
つれて…
おや!?

そんなとこで
何を
しとるのだ
中に
入りなさい
えっ
いいですよ
私は
ここで！
冬の交通

今日から
ここの
派出所員
なんだぞ
はは
はあ

部長!
なんですか
この男!?
ズイッ
ひゃあ
——っ

すいません
許して
ください
!
なんだあ
こいつ!

板池くんは
ちょっと 気の
小さいところが
あるんだ!
それを
ぜひ 直して
ほしいと
署長に
たのまれてな

なんですかい
するってえと
また あっしが
その役目に…
いいカンしてる
大当りだ!
かれを
たくましく
きたえて
やってくれ!
ポン

板池くん!
この両津巡査長が
きみを
指導して
くれるからな
よろしく
お願い
します
先輩!
ポン

もっと
早く 歩けよ
おい!
片岡山珠算塾

先輩が早くて！
わしのは日本人の標準的速度だ！
そこのお兄さんどうですお兄さん！
ピンクロンドン

ぼ ぼくの事よびましたか!?
7時まで3千円ぽっきり！さあ 入ってさあ！

そうですかあ警ら中でまずいんだけど…まいったなあ
さあ どうぞ奥へ！

こらっ どこに入る気だ おまえ！
この人が中に入れっていうもので…
バカ！警ら中 制服でそんなとこに入るやつあるか！ヤバイぞっ
私もそういったんですけどあの人が入れって…

警官を よびこむ方も すごいがよばれて 入る警官のが もっとすごいぞ大胆なやつだなおまえは！
別に大胆でもないんですが…
SAINT
TAKE A BIG CHANCE

お客さん！ちょっとみていって！
工場直売ミシン大特価だよ！
ミシン
超お買得
本日限り
パパもらくらく
一家に1ケ！
大特価
ダメダアミシン

お客さん…てぼくの事ですか？
またとないチャンスだ！お客さん！
店
本来なら15万するところ今回限り8万円どうです！
で…でもミシンなど使わない…し

やだな！信用してないのかな
ほらこのとおりコンピューター内蔵簡単だ！りっぱですよ
そう…ですねりっぱですね
でもぼくは…

デパートで買えば15万もするのに今回特別の8万円！安いでしょうお客さん！
ビシ
そう……ですねたしかに…安い…です
でもぼくは…

じゃあきまりだ！毎度あり！
直売
あの…毎度あり…てその…ぼくは…あの……
ペコッ

ソーイングボックスサービスしときますはい！8万円！
は8万円もするんですか……
弱ったなちょうど8万円あるし…

あいつ
どこに
消えやがっ
たんだ
突然
いなくなる
やつだな

すいません
遅くなり
まして！
あっ
何買ったん
だよ！

どうも
コンピューター
入りのミシン
らしいん
ですが…
買い物は
仕事
終わって
からにしろ
まったく！

気が　ついたら
買わされて
いたんです
ううう
ミシンなんて
一度も使った
事ないのに
こんな
重い物を…
そうか！
性格が…

さあ
お客さん
よって
らっしゃい
高級ミシンを
市価の
半額で販売
してます！
直売
本日限り
ダメダアミシン

これ
かえすよ
ドスッ
え!?

こいつが
まちがえて
買ったんだ
キャンセル
する
困り
ますね…
一度　売った
品物だし…

もう一度
いおう！
キャ・ン
セ・ル
は…
はい
ただちに
……

ありがとう
ございます
おかげで
8万円もどって
きました
断れば
いいだろう
自分で！

くわっ
でも…
断ったら
悪いと思って…
悪くない！
相手の
目ん玉を
見て「いらん！」
のひとことで
いい！
わかったな！
はは
はい

ハッキリ自分を
主張しないと
生き馬の目を
ぬくこの東京で
生きてゆけんぞ
はい
わかり
ました！

相変わらず
歩くのが
早いなあ
まって
くださ〜い
ドス
あいた
た！

お2階へ
どうぞ
グイーン
いらっしゃい
ませ！
いらっしゃい
ませ！

いや…
ぼくは…
こちらに
みやすい
メニューが
ございます

まいったな
また 買わされ
てしまい
そうだ……
そうか！
さっき
先輩に
いわれた
相手の目を
見て……

ジロ
新発売
10コ 5,900円
生ハンバーガー 600円

新発売の
ハンバーガー
10個入りは
いかが
ですか？
ニコッ
はい
じゃ
それを…

だめだ！
だめだ！
だめだ！
なんで
断れ
ないんだ
もう〜っ
ガガガ

じつは
ですね…
ぼくは…
ぼくは…
あげたての
ポテトなど
いかが
ですか？
ニコッ
く
ください

なんだあ！
また 買っち
まったのかあ
！
ハンバーガー
10個も
たべられ
ませんよ〜っ
はんばー
おいしいね
UMAI
ふぁみりぃ
はんばーがー
THANK YOU

金を持ち歩かない方がいいんじゃないか？
ダメなんです 金が ないと いったら サラ金の勧誘の人に 30万円も むりやり借りる ハメになった事も ありますし……

だいたいおまえは 気弱なツラして オドオドして 歩いてるから すぐ 声を かけられるんだ
もっと シャキッと しろ！
どうやって です！

胸を はって 歩くんだよ こう！
うーむ 何か たより ないな…
フラッ

おまえ まゆ毛 そったら どうだ？ 迫力でると 思うぞ
と とんでも ないですよ
!!

ダンディーなムッシュへ！
甲斐理髪店
603-25
甲斐理髪店

うーむ いいね！
しかし まだ 弱いな 目が やさしすぎる

マスター そこの金ぶちの サングラス かしてくれ あと… つけヒゲも あるか？
大変だな

いいな！
迫力が
でてきた
これじゃ
はずかしい
ですよ
先輩！

ばかやろう
市民に
なめられてる
警官の方が
みっともねェ
プライドが
ねえのか
きさま！
ポカ
あいた！

体がやせていて
顔とバランスが
とれん
マスター
タオルを
10本ばかり
もってきて
くれ！

な
なにを
するんですか!?
インスタント
筋肉で
バランスを
とるんだよ！

雪駄草履
ハキモノ

雪駄と
ベルトで
3万円に
なります
おまえの
金で払えよ
高いなあ…

雪駄も似あうぞ それなら もう 声をかけ られないですむ
そうですかね……
ハキモノ
チャリ
チャリ
チャリ

肩で歩くんだよ こうだ! こう!
はい
のし
のし
のし
チャリ
チャリ

拳銃もたえず手に握っておけ わかったな
はは はい

よし じゃ このキャバレー通りを ぬけてみろ!
え!? また 入って しまいます
SALOON
サファリ
サロン パラオ

いいから テストして みるんだ ゆけ!
はは はい

そこのお客さ…
いや! すいません 失礼しました
さあて 中を 手伝って こよっと!
BAR
ポッキリ3万円
大サービス!
チャリ
チャリ
チャリ

先輩! バッチリですよ
声をかけられませんでした
キャバレー
ラブ
ホステスさん募集!!
BAR
そうだろ! 人間 外見で判断されるものだ
チャリ
チャリ
そのスタイルならなめられないですむぞ
いてっ

げっ お巡りだ しまった
きさま ドロボウ!

おい そいつをとりおさえろ
えっ

と 止まってください
うわっ

ちくしょう どけ!
ひいいっ
勘弁してください!

へっ
なんだ
こいつ!
みかけ
だおしの
お巡りだな

あっ
ちょっと
まって
ください
まって
くださーい
いかない
で〜〜〜っ

バカ
犯人に敬語
使って
どうすんだ
早く
追っかけろ
!

よっちゃん

まったく
気の弱いにも
ほどが あるぞ
犯人に
脅かされ
やがって!
す
すみま
せん!
今頃
犯人のやつ
どこかで
笑ってるぞ
まったく

意外と
近くに
いたりなんか
して……
素顔は
みられて
ないから
気が つくめえ
へへへっ

しかし 先輩
相手は刃物を
もってたから
こわくて……
それは
一般市民の
セリフだろ!
おまえは
警官だぞ

なんのため
柔・剣道
ならってんだよ
あんなもん
警棒で
一撃すれば
いいんだよ
よく みりゃ
弱そうなやつ
だったんだぞ
手柄を たてる
いいチャンス
だったのに!

すいません
うう……
すいません
………
また
これか…
女じゃ
あるめえし
まいったな

まあ
すんだ事は
しかたない
さあ のめ
今度
わしが
柔道で
精神を
ビッチリ
きたえて
やるから!
うう……
すいません
………

ゴクゴク
よく
こんなのが
警官に
なれた
ものだよ

おっ
酒いける
くちだな!
もう…
いっぱい
いいですかァ

いいねえ
その
のみっぷりと
その目つき
それだよ
その
するどさが
必要だぜ
グイ

おい
両津
もっと
よこさん
かい!
なんだ
こいつ!
コー…

おまえ
酒乱の気が
あるのか?
それとも
アルコールが
脳ミソに
入ったか?
うる
せえな…

グッ

気が弱くてェどうしようもないだとォ
大きなお世話だァこのやろう！
ヒック
ガチャ

他の客もいるんだぞいい加減にしろ！

だからどうしたっていうんだよォ！
グア

犯人を逃がしただとォあのやろうつかまえてやるっ絶対にィ〜っ
逮捕なんてケチな事しねエでその場でぶっ殺してやるあのやろうを！
そうすりゃいいんだろ！
え!?

ひいーっ
ギロッ

たすけてくれ〜っ

お巡りさん
あの人から
守って！
私が　犯人
なんです！
な　なに？
なんで
こんな
ところに!?
ほう
そいつァ
さがす手間が
はぶけたって
もんよ！
おい
ちょっと
こい！
いい子だから
こっちこい！

えーっ
ウソーッ
ぼく
そんな事
しましたか？
まさかァ!?

今日も
駅前の甘栗屋さんに
よびとめられて
2キロも甘栗
買わされちゃって
どうしよう
こんなに……
あいつ
心配いりません！
ウイスキーボンボン
一個で正常の人に
変化しますから
そんなに
すごかったのか？
まったく
想像も
つかんな……

★週刊少年ジャンプ1984年52号

SIMPSON
9
DIEST
DIEST

春の耐久レース!!の巻

グオオオオッ
KOENIG-FERRARI
turbo

だいぶ
遅れて
しまったな
あっ
!!
パッ
あの
ポルシェは
麗子さんか
……
とばすなぁ
ビイイン

おそいな…
中川のやつ…
おい
わしにも
茶のひとつも
だせよ！
非番のくせに
なんで
派出所に
くるんだ
中川と
ここで
待ちあわせ
してまして…

しかし
交番勤務ってのも
ハタからみると
かっこ悪くて
大笑いですね
よけいな
お世話
だよ！
いやあ
人が
働いてる時に
休むのは
いいもん
ですな
こんな
天気の日に
働くとは
気の毒な
かぎりで…
おっ
中川が
きた！

10分も
待ったぞ
まったく
バタ
すみません
急ぎま
しょう
おい!
安全運転
するんだぞ
!
もちろん!
ご心配なく
この車
馬力が
ないですから
安心ですよ

ほんの
653馬力
ですから!!
FERRARI
turbo

あいつら
いつ新聞の
三面にのるか…
不安で血圧が
ますます
あがってくる
うっ
胸が…
部長
お薬を
!!
春の交通安全

麗子のやつ
わしの前で
クラクションを
ならして
弾丸のように
すっとんで先に
いっちまったぞ
とばし屋
ですからね
麗子さんは
今日の
フリーダム島(アイランド)
レースの本命
ですよ!
KOENIG-FERRARI

フリーダム アイランド IN
男なら
俺たちと
いい仲間に
なれたのに
まったく
!
女に
うまれや
がって
ドジな
やつだよ
チカ チカ
おっ
あの島に
レース場が
あるんだな
先輩
カード
みせて
ください
あいよ
ほら
KOENIG-FERRARI
STOP
島全体が
レース場ですよ
がんばって
くださいよ
おふたりさん
まかせて
おけ!
グオオオォ

場
ミニバギー
みんなきてるぞ俺たちがビリじゃねえか!
グオオッ
そのようですね
in

ゆうべから泊まりのやつもいるぞ気合いが入ってるな
ブオォ…
ブオン
ブロロロ

ずいぶん遅かったわね！おふたり！
あっ麗子がいやがった！ちょっとストップ！
キッ
DUNLOP
REIKO
Reiko
LOVE

こんなおとめチックな車で出場する気かよ！
ペイントに2か月もかかったのよ
LOVE
Reiko

先輩！早くマシンをきめてください
RACING
ようしわかった！

20時間の耐久レースだぞこんな細いフレームで大丈夫か？
テクニックでカバーするから平気よ！

わしの前 走ってたら そんなもん 踏みつぶして やるからな
やって ごらんな さいよ！
先輩の メカニック 担当の 次原さんです 今回 ペアで がんばって ください
よろしく！
よっしゃ 一番 とろうぜ！
フレームは 一番 がんじょうな これに してくれ！
がんじょう だけど そのフレームは 重いから 不利ですよ
じゃ 1000c.c.の エンジンを つめばいい
今回は 250c.c.クラス ですから だめですよ
アクセルと ブレーキの 位置を きめます すわって ください
よし！
ずいぶん 足が 短いですね アクセルまで とどきませんよ 本気で のばして ください！
これ以上 のびんよ！ フレームさえ がんじょうなら 勝てるから 心配するな！
あと エンジンが 焼けつかんよう 工夫してくれ！ わしは アクセル 踏みっ放しで 走り続けるから
じゃあ 大型の オイル クーラーを つけとき ましょう

フリーダム島(アイランド)ミニバギーレースのコースを 説明します 今回は 島の半分を使用します
前半は 海岸 後半は 山の中と過酷なコースです これを 明日の16時まで走り ラップの多い者が優勝です
ドライバー一名とメカニック一名の名コンビで一位がきまりますよ! さあ みなさん用意をしてください!

先輩のマシーン ずいぶんまるっこいですね!
この丸っこさに秘密のパワーがあるのだ

いわれた通りパワーを捨てて装甲車のようにがんじょうにしておきましたから
よし あとは俺にまかせろ
両ちゃん いきなりがけに落ちてリタイアしないでね
にくったらしい女め!

GO!!
鬼の
洗濯板と
いわれる
10キロも続く
ダートコース
早くも
転倒車が
続出!!
うわっ

車にあわず大胆に走るやつだ！
うおっこいつもすごいパワーだっ
ばかめ！耐久レースということを忘れてんじゃねえのか
あいつら！
うおっ事故りやがった！

ドスッ
ブロロロ
どすこい
ドドスッ
バオオオッ
このために
マシーンを
丸くしたのである
別名「両津式
七ころび号」だ！
わっはははは
うーむ
するどい

わしは
今　なん位
くらいだ？
30位くらい
ですね
全部で40台
ですから
下の方ですよ
補給所
心配いらん
必ず勝つ！
夜になり
みんなの体力が
落ちてきた時が
チャンスだ！
わしの
ペースは
絶対　おちん
からな！
明日は　雨かも
しれませんよ
この島の天候は
変わり
やすいから…
なにっ
本当か！

天候まで
味方になったか
雨が 降って
嵐にでもなりゃ
もう こっちの
もんよ!
わはは
逆境に
なれば
なるほど
強くなるん
ですか?

どけ!
どけ!
なっ
なんだ!
うしろから
何か
くるぞ!

うわっ
すごい
スピードだ
こんな
まっ暗な
森の中よく
とばせるな!
何かに
とりつかれ
てるようだ…
ギャオオオオオ

夜明けと同時に島は雨につつまれた
路面の悪条件と疲れであちこちでリタイアが続いた！
ゲオオオッ
む！
とうとうやっちゃったわね！
まいったなトップグループにいたのに！
キュキュッ
やあきみたちはひょっとしてトップを走っていた方々じゃありませんか？
仲良くリタイアですか？
くやしいわねぇもう！
雨の日のコーナリングを教えてあげよう
よくみてなさい

あっ
ギュイイイイン
あんなスピードじゃ曲り切れない!
きゃあーっぶつかる!
ドンドンドン
はっ!
ビシャシャシャ
パ
ひゅいいいいん!
うーむ!チョロQみたいな動きだな
体力のある両ちゃんじゃなきゃできないわざね……
うわっなんだっ
パ
ひえっ
ドン

さすがに
フレームも
ゆがみ
はじめて
きた！
あまり
このワザの
連続は
やばいな！
ズザザッ
うわっ
しまった
!!

雨で沼地に
なって
しまった
くそ！
もう
前にも
うしろにも
進まない
よしっ
ザザバ
グイイッ

中川たちを
笑った以上
こんなところで
リタイアして
たまるか！
ズブ
ズブ
絶対
完走して
みせるぞ!!
ババババ

あっ橋がなくなってる！
水カサがふえて流されちゃったみたいですよ
仕方ない遠くなるがう回しよう
深さはどのくらいだ？
5mくらいありますよふえてるから……
チラ
車で行く気ですか？
コースをはずれると時間のロスだからな
おいエンジン止まったらぶっとばすぞ！
すーっ
ザオッ
あっ
バシャッ
ぷわっ
ゴボ
ゴボ

おい あの人に
できたぞ
おまえも
やってみろよ
やだよ!!
あんな事
できない
よ!!
ザザザザ…
おーい
くるな
あぶない
ぞ!
ズザザアッ
うわっ
きたっ
波に
さらわれて
しまったか
!
ザザーッ
かわいそうに
………
だから
くるなと
いったの
に…!
でたあ
──っ

バカヤローッ
生きて
いるよ!
ドドド
うむ
まだ
エンジン
かかるな
あの
メカニック
さすが
だぜ
ヴオム
SIMPSO
その後
嵐となり
両津のひとり
舞台であった
ヴオオオオ
完走一台…
優勝は したものの
出場者からは
「あいつはゾンビ」だと
おそれられて
いたのであった
やったあーっ
これも きみの
マシンが
よかったせいだ
ありがとう!
車の性能と
いうより
ドライバーの
体力勝ちだよ
このレースは!
250cc 成績表
メンバー 周回 ゼッケン
1 両津・次原 120周 99
2 リタイヤ
3 リタイヤ
4 リタイヤ
5 リタイヤ
6 リタイヤ
パチ…
パチ…
パチ…
1

★週刊少年ジャンプ1985年18号

はつめい博士の巻
3000Z

ビシッ
みろ! 新千円札!

へえーっ もう でたの?
朝一番に ならんで 8時59分に とりかえて もらったのだ!

おそらく 日本で 民間人として 一番早く 手にした 新札だ! 価値が あるぞ

すぐ 新紙幣が 出回って 旧紙幣の方が 価値が でるんじゃないですか?
ズキッ

新製品だと 自慢できるのも わずかの間 だけか……
以前の 新500円玉で こりたんじゃ ないんですか?

よし また銀行へいって古い紙幣ととりかえてくる！
えっ

まったくコロコロかわるんだから
浮き草生活ね

又は銀行へ！
ホソダラ銀行
銀行 植木支店

やったぞ旧千円伊藤博文ちゃん！
あぶなくだまされてとられるところだった！

何やってんだおっさんそんなところで！
ゼンマイ自転車の試乗中じゃよ
ゴミの日

おや!?

なに ゼンマイで 動くのか？ この自転車！
1キロは 自動で走るが 安定が 悪くてな

三輪に すりゃ いいじゃ ないか
なるほど その方法も ある！

ダイハツハローみたいに荷台にして動力源を内部に組み込めばコンパクトになるぞ
うむ もう一度 検討して みる必要が ありそうだな

いやあ あなたも なかなかの アイデアマン だね
昔っから 工作なんか すきでね！

私は こういう 者じゃよ
発明研究所
所長
特許特太郎

発明研究所の 所長か おもしろいな
よかったら くるかね 近くだ

わしも 発明工作が 得意でな！ いろんな物を 作ったぞ
ほう ぜひ 拝見したい ものだな
宮前青果店

ここが私の研究所だ
ほうそれらしい家だな

ギッ
本人と確認してドアが開く他人では開かない
これも発明したものか!

うおっすごい!

ずいぶんいろんな物を作ったんだな!
一日10個のペースで考えてるからなははは
チューチュー
ホイホイ

こりゃなんだ!?
すしの自動販売機じゃよ
すし

画面にむかって注文すると10秒後にちゃんとでてくる
へいらっしゃい!
こりゃおもしろい
すし

ただし 事前に炊きたてのシャリや魚を切ってセットしておかねばならんのだ
人がにぎった方が早い気がするな!

これをしってるかねきみ!
なんだ万年筆じゃないか…

わが研究所で作った特別のインクでなんと消しゴムで消せる
すごいなまともな発明じゃないか!

その特許によって年間五億の収益を得られておる
なに五億!?

海外のトップメーカーがスポンサーにおるからな
たかが万年筆で五億かうーむ五億…これで!

このパチンコ玉も一億かせいでくれた!
なにっ一億!?

ゴルフボールのように穴をつけると飛距離が出てクギのからみが少なくなり入りやすくなる
玉にくぼみをつけただけで一億
う~~む一億

わしも何か考えたら特許とれるかな……
もちろんアイデアさえよければ可能じゃよ

ゴキブリ捕獲器やカップラーメンなど みんな一般の人たちのアイデアじゃよ
ヒット商品を考え出した人はほとんどが億万長者になっておる
カップメン
ゴキブリポイ

億万長者! いいことばだ 他力本願の宝クジよりこっちの方がいい!
ははは そうだろ
日本人の発明件数は世界1位といわれてるからな ぜひがんばってみなさい!
シュポッ

まっ 登録されるのは大変だが……あれ!?
気が早い人だ もう いってしまった!
B型人間 攻撃ロボット シゲトくん
朝市
青竹ルームランナー
ローラー竹馬

ミッドシップもどきのにくけゆつ

何やってるのかな？一所けん命だね
さあ？

先輩！
こらっみるんじゃない！企業秘密だ

アイデアを盗作して先に特許をとろうたってそうはさせんぞ！
別にそんなつもりじゃ！
じゃうしろ向きでしゃべれっ

今度は発明で特許でもとろうというんですか？
その通り私の創造力を発揮して一気に億万長者の階段を駆け昇るのだもはや片足をかけている！

しかし特許なんてそう簡単に……
みるんじゃないといってるだろうが!!

産業スパイあっちいけもう近づくな
すぐ夢中になっちゃうんだから！

所長！もってきたぞ！
ほう どれどれ
これだけあれば一生遊んで暮らせるぞ ひゃっひゃっ

まず これ 絶対 お湯が さめない 魔法びん！不思議でしょ
なぜなら ポットの底に 乾電池式の ヒーターが 内蔵しておる

これは 売れますよ 絶対 まちがい なし！
さっそく 登録して ください 所長！

そのアイデアは もうメーカーから 商品化されて るよ！
ズルッ

じゃ 次は このカサ！
外見は ふつうの カサ！

カサの一面が透明になっていて前が　よくみえる！
商品名「マエガミエルダー」

すでに実用新案登録されておる
うっ!!
同じ所に目をつけるとはちょこざいなやつ！

ところが私のは　なんとより安全にライトがつく
「アカルイダー」
それも登録されてる！

そ　その上カサ立てのないところでも　先端がゴムになっていて倒れない
「タオレンダー」
ピタッ
それもされておる

今のはほんのお遊び！本命はじつはこちら!!

省エネ扇風機！「ハネガニマイアルザンス」

ひとつのモーターの扇風機で同時にふたりすずめます
おまけに部屋の真ん中において首振りにすれば360度すべて涼しくなるという！
これなら各電機メーカーがとびつくことまちがいなし！

その考案は大正2年に登録になっておる
た 大正…
ずん

そ そんな前から考えられてたんすか…
未だにどのメーカーからも出てない事をみると商品化は無理なようじゃよ

特許や実用新案の出願は わが国で年間40万件以上あるが登録されるのはそのうち半分くらいだけじゃよ
残りの半分がすでに登録されていたり似たアイデアだったりするわけだ だからそう気を落とすな

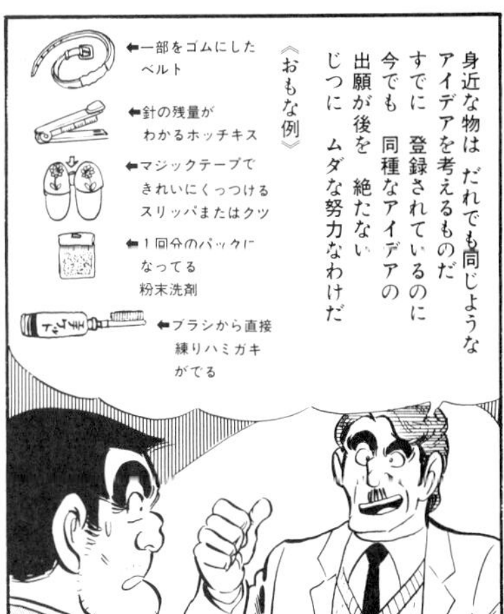
身近な物は だれでも同じようなアイデアを考えるものだ すでに 登録されているのに 今でも 同種なアイデアの出願が後を 絶たない じつに ムダな努力なわけだ
《おもな例》
←一部をゴムにしたベルト
←針の残量がわかるホッチキス
←マジックテープできれいにくっつけるスリッパまたはクツ
←1回分のパックになってる粉末洗剤
←ブラシから直接練りハミガキがでる

だってどんなのが登録されてるかわからないじゃないか!?
だから出願前に特許庁へゆきすべての書類を 調査しなければいかん

つまりわかりやすくいうとだな
またこれか…

悲惨な話じゃねえか……

世の役に立つアイデアでないとだめという事じゃよ

ヘタな
鉄砲も
数撃ちゃ当たる
きみも一日10件
くらい考える
ことじゃ
ようし
絶対
考える!

わしの
新作でも
みるかね
みる!
ぜひ
参考に
する!

ひとり用の風呂だ!
入浴しながら
テレビを みたり
音楽を きいたり
ホースを 伸ばせば
買物にも いける
実用新案
出願中だ!
QUICK BATH
チャプ
チャプ
チャプ
完全に
なめとる…
こりゃ
一発も当たらん

でき
たぞ!

中川
これ 試食
してくれ!
なんですか
それ?

カンビールの底に
つまみが ついてる
やつが あるだろ
それを
ヒントに日本
酒とつまみの
塩からも
くっつけた
アイデア品

くっつけたって…
塩からが
中に浮いて
ますすよ……
そうだよ
同時に
味わえる
飲んでみろ

気味悪くて
飲めま
せんよ
ばか者
こういう風に
グーッと
グッ

グニョリ
まずい
でしょう

コーラも
初めて日本に
入ってきた時は
気味悪い味
だった
要は
慣れだ！
数を
こなせば
おいしく
思える
ゴク
ゴク
ゴク

昼間から
酒を飲んで
いい身分だな
両津
ブ

いいや
部長！
これは……
開発研究
でひて…ゴホ…
鼻から
塩からが
でてますすよ
ゴホ
ゴホ
ゴフ
ゴフ
まきちらし
ちゃって
もう！
きたない
わね

特許で一獲千金をねらってるんですよ先輩
ゴホゴホ
あいつの考えそうなことだ

ちばいばす！わだひは世の中のために！
わかったから顔を近づけるな！

そういえば最近宝くじ買ってない様子ね！
宝くじ予算をすべて特許開発にしてるよ どっちもどっちだろうけどね

いそがしいタクシー運転手に「スグサッパーリ」
運転しながらうしろでプロの床屋が散髪してくれます

特許というのとはちがうように思えるが…
ダメですかね…やっぱり

まだ このカセットの常識をやぶった ヘッド部が可動するカセットプレイヤー「みのむくん」の方がいいよ
そうでしょう これは画期的ですよね！
類似の可能性がほとんどないという点だけね

あと なんだった? それ…
テレビつき ボールペン 授業中 テレビが みられる 商品!

発想が 奇抜と いうより 何も考えて ないといった 方が いいね きみのは!
いやあ 所長に ほめられる なんて てれるなあ

アイデアの方も よく でるねえ 毎日 20品くらい もってくるのには 驚いたよ
勤務時間を 利用して 作るので なかなか 製作の方が 間にあわなくて!
自由自在ポット
軽量
マルチボール

さっそく 明日にでも 特許庁へ 出願に いこう
やった!

所長は 今回 いくつくらい 出すん ですか?
バサ
うーむ まだ 完成 してないのが 多くてな

たとえば この物質 電送 テレポート マシン
なん ですか これ?

わずか 3メートル 四方にしか 電送でき ないのじゃ
ビ ビ ビ
ありゃ!?
ズッ

わずか3メートルなら手で運んだ方が早いよ
そうなんだもう少し研究せんとだめなんだ
このタイムマシーンも100時間しか過去にいけないしな……
研究不足だね 今度 わしも手伝ってあげるよ
シャリ シャリ シャリ

特許庁

10種類のカンヅメがどこからあけてもたべられるっていうの ダメ?
ただつながってるだけでしょうだめですよ!

所長 この前後どちらからも乗れる自転車もボツになっちまったぞ
仕方ないといえば仕方ないな

健康器具で
鉄アレイつき
耳かきは?
だめ!
発明コン

150件中
6件しか
審査の対象に
ならなかったぞ
あまりにも
独創的
すぎた
からな……

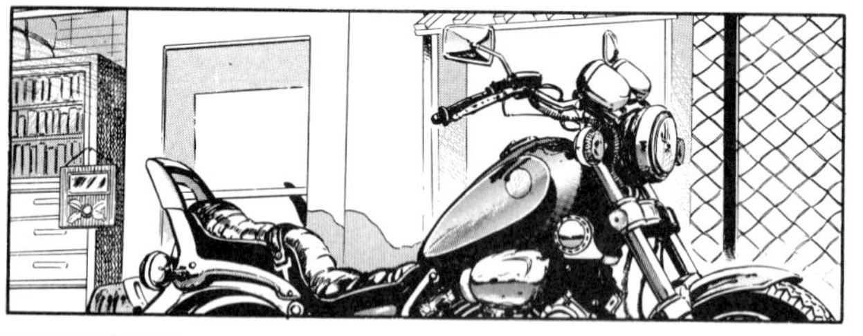

えっ 先輩のが
実用新案 登録
された!?

登録実用新案
第九九九九九号
これが わしの
番号!
このナンバー
こそ
億万長者の
パスポートだ
うらやま
しいだろ!

どんなのが
登録され
たんだ!
これです
「両津式
3色
ダイナマイト
アルコール」
バッ

アルミカンの
中が 3つに
わかれていて
ビール
ウイスキー
日本酒と
好きに飲めます
もうすぐ
大手の
酒メーカーが
私を
訪ねてくると
思いますがね
ナポレオン
日本酒

★週刊少年ジャンプ1984年47号

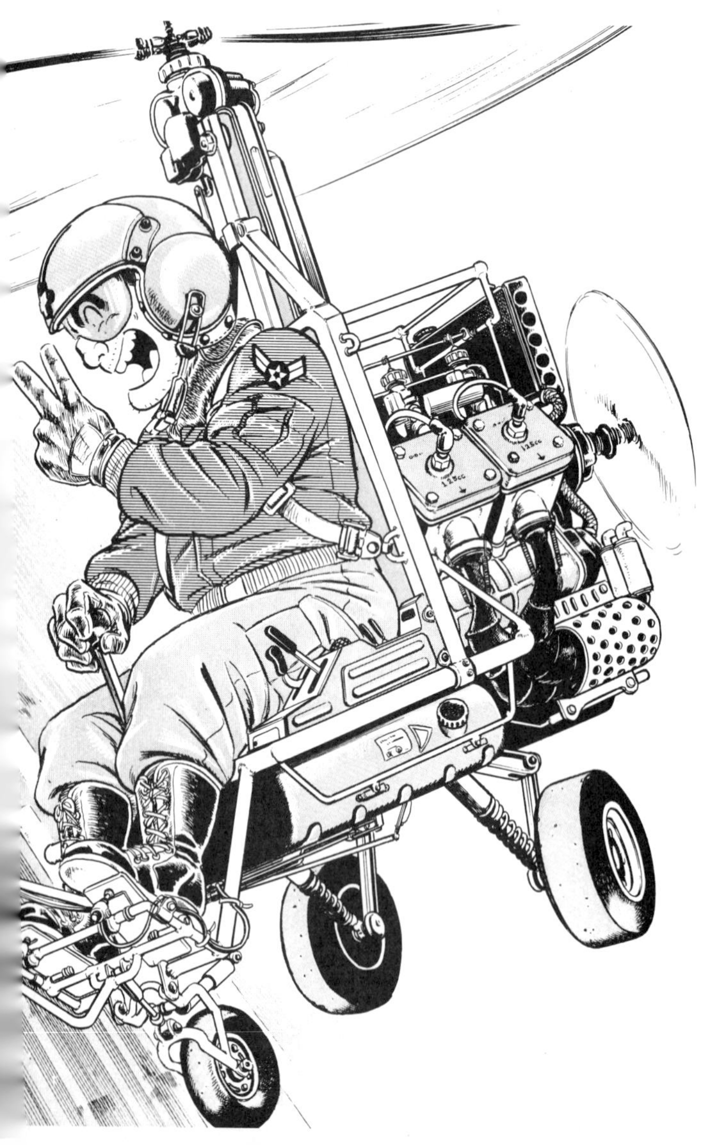
125cc
125cc

空から コンニチワの巻

両津が軍事マニアの友人宅へ遊びにいっただと？なぜ　それが不安なんだ？
そのマニアの中田丸さんは実物の戦車や戦闘機を　所有してるんですよ
しかし栃木県の山の中だろう　そんなところで戦車ごっこやっても心配いらんよ　はははは
そうですかね　なんか　いやな予感がするんです　けど……

いやあ ひさしぶり だんべな
ブロロローッ
社長も 相かわらず 戦車や ジェット機 集めまくって いるらしいな

会社の方は 息子に 任せてるっぺ！
金とヒマと 両方あるから やりたい放題 やるんだべさ はははは

今度も 新しいの 買ったん だろ！
そう！ それを ぜひ みせたくてな

展示場も 前より広く しただよ
うひょう まるで 軍事司令部 だな

入場料とって マニアを 入れれば もうかるぞ
ブロロロロ

ヘリの数が
ふえたんじゃ
ないか？
よく
乗るんだ！
うちの庭を
散歩するのに
便利だっぺよ！
払い下げが
多いから
形が 古いんで
困るだよ
D-EBVU
対戦車用の
「アパッチ」
じゃないか
!?
すごい
だんべ
両さん！

うむ たしかに 古いな
ところが あれを みてくれ
あっ!!
こんな 最新型 よく 手に 入ったな!

びっくりしたろ
じつは　これ
レプリカ
なんだべ
ニセ物かよ
それにしても
よく作ったな

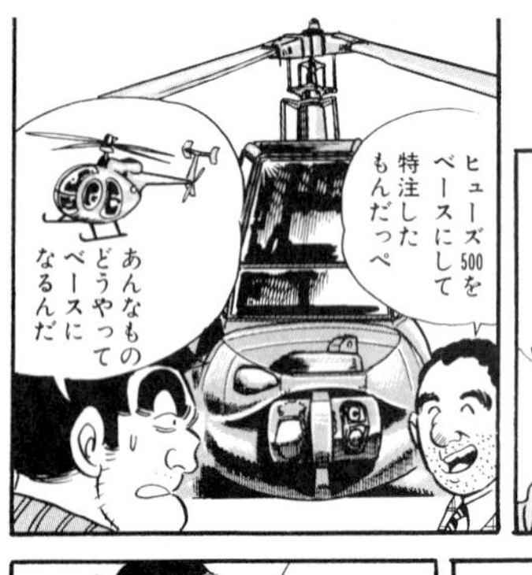
ヒューズ500を
ベースにして
特注した
もんだっぺ
あんなもの
どうやって
ベースに
なるんだ

ヘルファイヤ
ミサイルも
ダミー
かよ!
花火だ!
ちゃんと
とぶっぺよ

ぜひ
乗って
みたい!
もちろん
そのために
よんだんだっぺ

ババババッ

うひょう
気持ち
いい！
このあたりは
全部
わしの土地だ
どこに飛ぼうと
自由だべ！
東京へ
いこうぜ！
えっ
東京へ？
わしが この
「アパッチ」の
プラモ作っていた
時に 部長が
「そんな物
バカバカしい」と
いってた
ぜひ 実物を
目の前にみせ
判断して
もらいたい
そりゃ
部長が
悪いっぺよ
よし！
とっくりと
みてもらうべ

目標
部長のいる
派出所！
いざ
出陣！

国籍
不明機
千葉県より
東京に
むかって
接近中！

ただちに
警視庁航空隊
出動せよ！
バババッ
バババッ

ヒュン
ヒュン
なんの音だ
やかましい！
ビュウウウ
まったく
何事……
昭和59年度統計

うわっ なんだ!!
キュン
キュン
キュン
ヒュン
ヒュン

部長〜〜〜っ 本物のアパッチをつれてきました

両さん うしろから 2台ついて きただよ
なにっ

バババ・・・・
そこのヘリ 命令に 従いな さい!
やばい 本庁のヘリだ 逃げろ!

うわっ
攻撃してきた!
こ こらっ あわてるな!
逃げなきゃ撃たれる!
あっ バカ!
警視庁

あんな接近してるところで動くんじゃない!
すみません!

今の前部座席に乗ってたの先輩じゃなかったですか
ばかな事いうな!縁起でもない!

ドドドドド
一機しつこくついてくるぞ!
もう逃げきるっきゃないっぺさ
田辺花火工場
火気厳禁
田辺花火

引火しやすいから 十分気をつけろよ
はい
ガガガガ
ブォ
ポイ
I AM AHO
おまかせください社長!
たのむぞ
ポト
安全花火
安全
煙で前がみえない
ヴヴヴ
うおっ
ドゥン
パッ
うわっ
借りて安心
サラ

うわっ

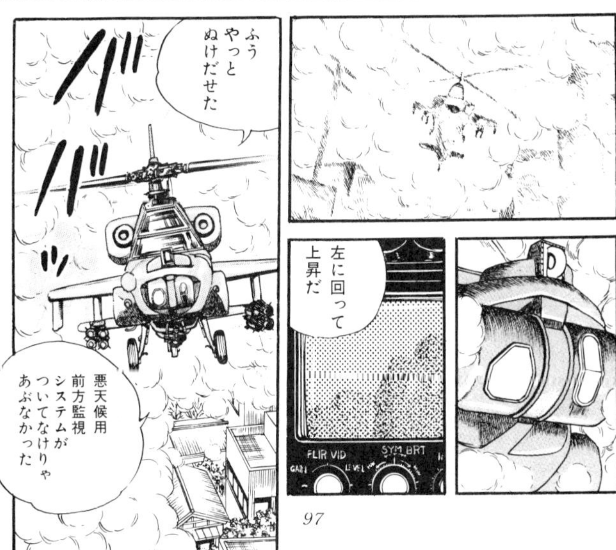
左に回って
上昇だ
FLIR VID
SYM BRT
LEVEL
ふう
やっと
ぬけだせた
バババッ
悪天候用
前方監視
システムが
ついてなけりゃ
あぶなかった

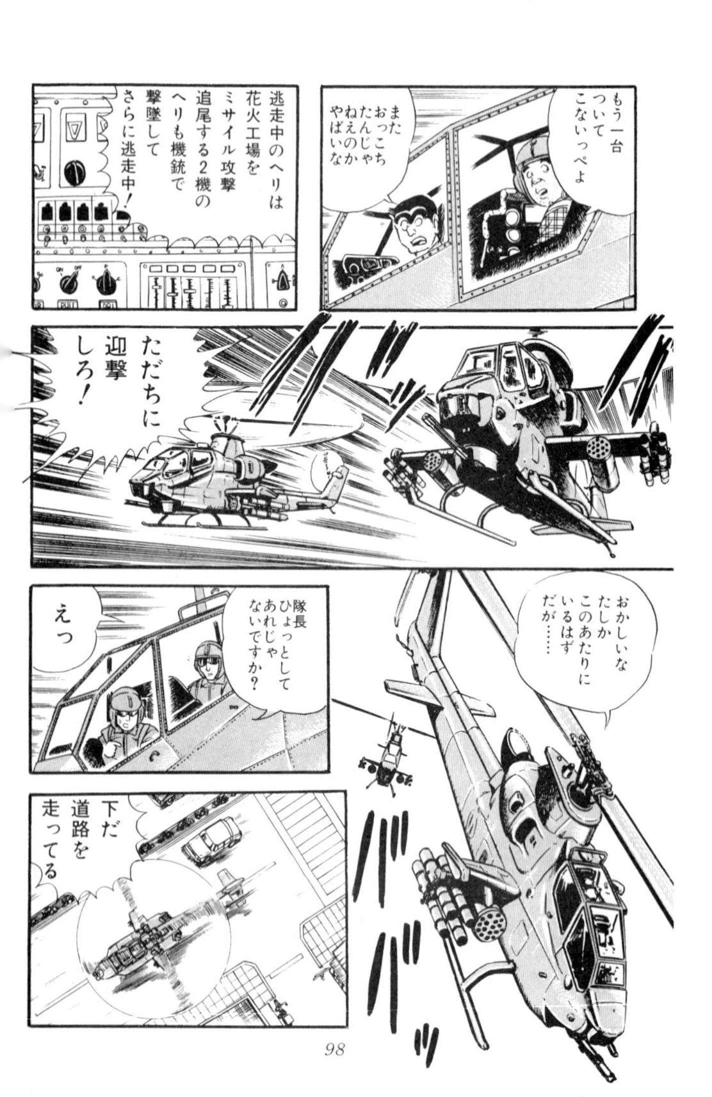
もう一台
ついて
こないっぺよ
また
おっこち
たんじゃ
ねえのか
やばいな
逃走中のヘリは
花火工場を
ミサイル攻撃
追尾する２機の
ヘリも機銃で
撃墜して
さらに逃走中！
ただちに
迎撃
しろ！
おかしいな
たしか
このあたりに
いるはず
だが……
隊長
ひょっとして
あれじゃ
ないですか？
えっ
下だ
道路を
走ってる

みつかってしまったべ!ダメだっぺ!!
うひょっ今度は自衛隊のヘリだぞ!

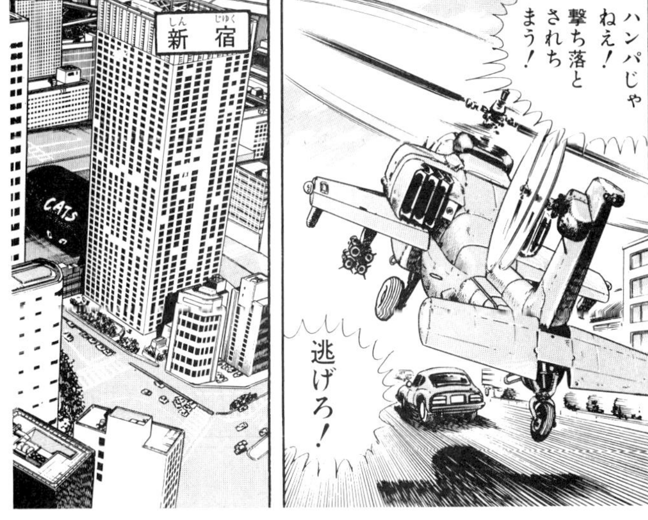
ハンパじゃねえ!撃ち落とされちまう!
逃げろ!
新宿
しんじゅく
CATS

だからね
花子さん
ぼくは…
ん!?
ヌッ
ぎゃあ
—っ
ヘリが
こんな
ところに!?
これで
かくれた
つもりかよ
なんとか
やりすご
すっぺ
ダメだ
早く
逃げろ!
バババババ

ぐわっ 本当に撃ってきやがった!
こらァ 税金をムダづかいするんじゃない!
ぐおおっ
大丈夫みたいだっぺ!
なさけないミサイルだな!
とにかくこのまま栃木まで逃げるっぺ
よし! なんとか逃げきるんだ
そうもいかんようだべ
どうして!?
ガス欠になったべ!
ふんぎゃあ

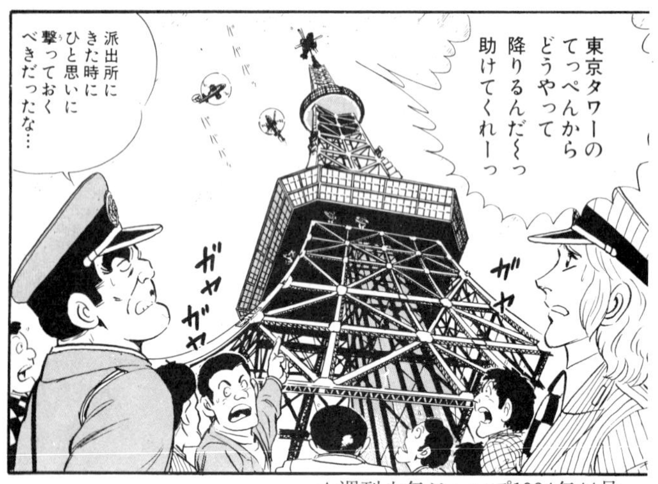

★週刊少年ジャンプ1984年44号

招かれざる客!?の巻
いい天気だな!
止まれ
チヨコレイト・菓子
金町商店
7－8
ボンカレー

こんな日は
パトロール
なんか やめて
海へでも
行きたいな！
いいですね
今ならまだ
ガラガラ
ですよ
山田
中華

よし
話は
決まった
ヘイ
タクシー
キッ
あ!!

たとえばの話
でしょう！
本当に
いっちゃ
まずいですよ
わしは
本気だぞ
！

男は一度 きめたら
すぐ 行動しなきゃ
いかん！
おまえは行動力が
ないぞ！
先輩は
ありすぎ
ますよ

行動力と
いうより
先輩のは
本能で
動いてると
いう感じ
ですね
動物と
いっしょに
するんじゃ
ない！

おい
ちょっと
まて！
えっ
洋服・作業着
あなたは笑うよ
三河あきらの店
ベルボトム
軍手 100円

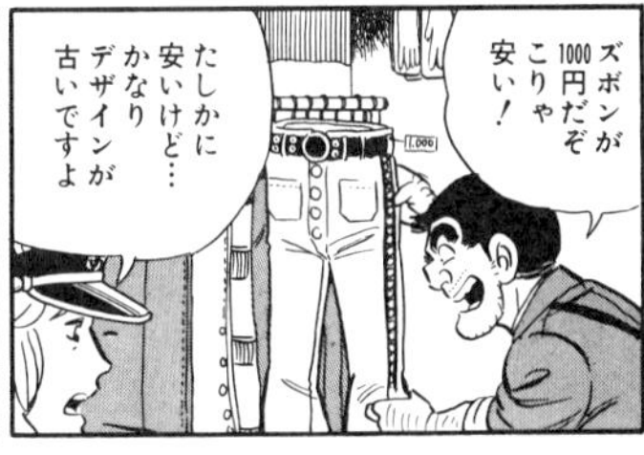
ズボンが1000円だぞ こりゃ安い！
たしかに安いけど…かなりデザインが古いですよ

デザインなど全然問題ではない！わしにとっては値段の方が大問題なのだ
本人が気にしなきゃいいですけど……

Gパンなんてのは本来作業ズボン！
がんじょうならばなんだっていいんだ
グイッ

こりゃだめだ！ぬい目が笑っておる！すぐバラバラになりそうだ
性格ににあわずみるところがこまかい！

昔 アメ横で進駐軍のGパンがヒモでくるまって売られていたが
あれはじつに丈夫で10年以上はけたものだ 最近じゃGパンまで軟派になった
グイ
これもダメ

先輩スラックスにしたらどうですか
そうだな！

コッパンかあ こりゃ安いがしわになりやすく縮むんだ 折り目がなん本も入ってしまうからな
けっこうくわしいんですね！
今はやりの しぼりぞめ Tシャツ
これで あなたも

中学時代は色気づいてたからなあ VANだのエドワーズだのファッションにかぶれていた時代もあった
今からじゃ想像できませんね

中学の頃は ぼうず頭にラッパズボンで とんがりグツがブームだったんでしょう?
白のトックリセーター
つぶした金ボタン
ラッパ
とんがりぐつ
それは田舎の中学生だろうが!

わしらは下町だったが都会育ちだからな流行の先端よ
すごく細いマンボズボンにリーガルの黒のバッシュ! 頭はリーゼントできまり!
ハイセンス

帽子にクツズミをつけてフライパンでいためたりしてたのですか?
テカ テカ
そりゃ大学の応援団だ!

当時 米軍の横田基地の近くに兵隊が よくくるYシャツ屋があってなそこが安くて1000円でオーダーができるんだよ
ヤンキーぽい色が 多くてなかっこよかったんだぜ!
よくそういうところみつけますね
バーゲン

考えてみろよ住んでたところが浅草なんだぞ呉服屋だとか半纏 法被の純日本調の服ばかりにかこまれてたんだぞ
この中でヤングの少年にあう服があると思うか!?

当時はアメリカがかっこよかったからな! 基地の周りの店をさがしてな
メイドインU・S・Aの服を手に入れるのが楽しみでな
SHOP
SHOP

昔はそんなにオシャレだったのに…
今じゃそのカケラもないですね

若い頃は頭ン中が「女にもてたい」それだけしかないそのために金ジャンジャン使ってかっこよくみせるわけだ！
オシャレの原動力ってのはその一点しかないじゃん！

その努力がなんの役にも立たない時どうなるのでしょう!?
動力はストップお金は生活費へと方向転換！

だから現在では着る物は最低限でいいわけ！デザインより安けりゃなんでもいい
暗い過去があったんですね…

これがいい！安い！丈夫！サイズがあう！これ以上の品はない！
色や形は選ぶ対象にならないのか…実用のみだ
サイク
スカジャン 3980
バーゲ

おやじこのズボンいくらにまかる？
お客さんそれはバーゲン品ですよ！ちょっと と……

品物の種類を聞いてるんじゃない！いくらにまけるかを聞いてるんだ!!
いつもながら強引な値ぎり方だ…

1500円の品を480円にまけてくれたぞ! いやあ親切な店だな
ご主人泣いてましたよ 1時間もねばるんだから…もう!
やっぱり豆腐
健康一番
岩岩とうふ店

せちがらい世の中 出る金は1円でも大切にせんと生きてゆけん
賭け事を少しひかえた方がいいんじゃないすか?

ギャンブルは男のロマン! あれは思いきり使った方が気持ちがいいんだ!
そうですかね!

まけてもらった分で300円の軽自動車シリーズでも買っていくか!
あんたが悪い
いがらしみきおの店
TAMIYA
KYOSHO
NITTO

ミリタリージオラマ
全国コンテスト
〆切日 3月20日
賞金入選 5万円
作品募集
あっ
中川 今日なん日だっけ!
19日ですけど!

今日中に
完成させ
ないと
間にあわん!
先に帰るぞ
!!
ダッ

パトロールと
いうより
先輩の場合
散歩に近いよ
まったく

そうか
今日
部長は
休みなんだ

神が
くださった
チャンスだ
!

ガラ
ガラ
天井が
ジオラマ
ベースに
なってるとは
気が つくまい!

ガラ
ガラ
ガラ
あと
もう一歩で
完成する
ところ
だからな

1/35のジオラマで
このサイズのは
ちょっと
ないだろうな

ぜひ 出品し
審査員を
仰天させて
やりたい
お巡り
さーん

くそ!! いそがしいというのに!
まったく

なんだ 小学生か! 何か用か?
社会科見学できたんだ

お巡りさんの仕事をきくように先生からいわれたんだよ
つまんねえ教育しやがって…
悪いやつらをつかまえるのが仕事だよ わかったか?
じゃあ バイバイ
それじゃわかんないよ 日常勤務とか具体的にいってくれなきゃ……
そうそう具体的に!
小生意気なガキどもめ

派出所のお巡りさんは地理案内をしたり事件がおきればすぐかけつけ地域住民の治安を守るのが仕事なのだ
ふんふん
国民の笑顔が私のしあわせである!!…と公園前派出所の両津さんは語っておられた
そう かいておきなさい! しっかりと!

なにぶん いそがしい身の上! 会見は これで終了する
ごくろうさん!

ここで よくプラモデル作ってるけどあれも仕事?

あれはケガして入院した少年にプレゼントするために作ってたのだよ大切なお仕事
今後あまり派出所をのぞかないように!
はは はい!

おっ 中川もどってきたか こいつらパトロールにつれていけ
えっ!?

よかったね きみたち このお兄さんがパトロールの見学させてくれるって!
パトロールから帰ったばかりなのに!

気軽に派出所にきやがって まったく
昔はこわがったものだが…今のガキは平気だからな
あと山ふたつと畑を作らんとだめだな
明日の出品に間にあうかむずかしいところだな

お買いあげありがとうございました奥様！
お嬢ちゃんまたねバイバーイ

5軒回って5軒とも売れたな
さすが販売の鬼ですね

桜井くんセールスは「押し」だよ！弱気じゃいかん！押して押して押しまくって売る!!わかるね！
はい

セールスの会話術！まず「あいさつ」から入り「天気」「住い」「ご主人」「お隣りさん」の話をしてから最後にビジネスの話をする！要所に「趣味」「時事的問題」をちりばめる！

あと　家族をほめちぎる！「かわいい赤ちゃん」「男らしいお坊っちゃん」「おバアちゃん若い！」「すばらしいペットだ」……
ほめられると一瞬よろこぶ！そのスキをついて押す！わかるかね桜井くん

次は　きみにセールスしてもらおう！
どこがいいかな…おっ!!

話にちょっと無理があるが…
あの派出所にしよう！
はい

ごめんくださーい
大きな声ではい！もう一度
ごめんくださーい

でてくるまでなん度でも
ごめんくださーい
ごめんくださーい

ごめん…あ!!
ダダダッ

一度いえばわかるんだよこいつ！
す…すいまひぇん
ガイ

こっちはいそがしいんだ！バカッ
ごめんなさい！

またひっこんでしまったよどうするの？
あっすいまひぇん
もう一度やり直し！

あっ
ごめんくださいごめ…！

しつこいやろうだななんだよ!!
あっあの…えーと
天気の話からでしょ

あの…じつにいいお天気ですね
それがどうした!!

か…かわいい赤ちゃんですね！
そんなもん！いねえ！

いいお住いですね
ここは派出所だっケンカ売ってるのかてめえ！

押田課長かんべんしてくだひゃい!!
まあまあお巡りさんちょっと私たちの話をきいてくださいねっ！
わしは神など信じないぞ!!

私たち 健康リサーチセンターの職員です けっして怪しい者じゃありません
だからどうした! わしはいそがしいじゃあな!

ちょっと! 話を きいてくださいよ
だからなんの用なんだ!!
新聞ならいらん!!

物売りとちがうんです 無料で料理を作ってさしあげようかと!
なに本当か? タダで!?

わが社で開発した万能鍋でおいしい料理を作ってさしあげます
その鍋を買わせるつもりか?

とんでもない! 気に入って買っていただく以外 押し売りなんかしませんよ!
そうかじゃさっそくたのむ

グツ
グツ

ほらこの通りおいしく… あっ あら? お巡りさんは?
むこうで何か作ってますが…
水元公園
梅祭り

これは すごい
ジオラマだ!
よく できてますね!
なに!? おまえもジオラマわかるのか?
私 大学時代プラモ部の主将をしてましたから ハイ
そりゃいい 手伝ってくれよ!
ほう なかなかやるじゃないか!
鉄道模型もやってました 山や畑は得意ですよ
お宅のあの万能鍋いくらだっけ?
は はい!
セットで20万円です!
安いな うーむ 考えておこう
うーむ 安い…
桜井くん きみもお手伝いしなさい パウダーをそこにまいて
課長 これ けっこうつらいですね
大きいからな ちょっとめんどうになってきたな
万能鍋ローンでもいいんだっけ…?
も もちろんですとも!
桜井くん 手を ぬいちゃいけませんぞ!!

やった！完成したぞ！
すばらしい入選まちがいなしです!!

ガラガラ
明日車かりて運べばOKだな

鍋の方もご用意ができております
まってました！

いやあおいしいお宅の鍋最高だね！こんな便利な物はない！
煮る蒸す焼くすべてこの一台でOK損はありませんよ

ごちそうさんこういう鍋は一家に一台ないとね！
もちろんですともありがとうございます

あと片づけして帰ってね！ご苦労
バイバイ

万能鍋買っていただけるんじゃないんですか!?お客さん！
ガタッ
そんなの買わないよ高いもん！

押田課長しっかりしてください！
セールスの道に入って30年！「押しの押田」といわれたが
あんな手ごわい民間人は初めてだ…

ジオラマ間にあったんですってね
運よく助っ人がきてなきのうの夕方にできたぞ! 最高の作品だよ
仲間のやつ車もってくるのおせえな午前中っていったのに…
部長がきちまうじゃないか!
ぬっ
わしがくるといかんのか?
あ!! いえめっそうもない!

ちょうどお昼のニュースの時間だな
やばいなあの部屋じゃもちだせないよ
やあおくれて悪い!

おそいよバカ! あと10分早くくりゃいいのに!
いてっ
なんだこのヒモは?
あっやばっ

★週刊少年ジャンプ1985年15号

こちら葛飾区亀有公園前派出所
罰当り！両さんの巻
秋本治

さあてプラモでも作るか！

あっ
だれだ!! 勝手に派出所に入りこんで！

わしは魔法使いじゃよ

魔法使い？

プラモ作ったあとで相手してやるからちょっとどけよ！
こらこら！
ドン
バタッ
なんて事するんだおまえは！
留守番中にしか作れないからいそがしいんだよ！
わしは魔法使いだといっとるのだぞ！
春先にはこういうのが多いんだ……

するとあんたはクリィミーマミのおじいさんかなんか？
ちがう！天国からきたのじゃ！
きたというよりもうすぐいく方じゃないの？
聞きしにまさる悪態だこの男は！

天国でおまえさんの評判が極めて悪いそれでわしが偵察にやってきたわけだ！
ふーん
それで当たってるとどうするわけ
子どものころに生まれ変わって真人間に育ってもらう
ほーなるへそ

また 今度ヒマでヒマで死にそうな時きてくれよ! 遊んでやるからな!
わしは遊びにきたわけじゃないっ こら!
やはりウワサ通りだな! もう一度生まれ変わりなさい!
はい はーい
かわいそうにあのじいさん!
あれじゃ嫁にも相手にしてもらえないよ
部長とパトロールなんて久びさでした
はは そろそろお昼にしよう
亀有公
あっ
両津め また どこかさぼりにいったな

ここにいるよここに！
ズルッ
ズル
むっなんだこの子どもは？
子どもに留守番させといて逃げたんじゃないですか！
あいつの考えそうな事だ！
ちがう！オレだってオレ！

魔法使いのじじいとかいうやつにガキにされちまったんだよ！
だから本人だっての！オレだ！
口のきき方の悪さなんか先輩そっくりですね！
まったくだこういう子どもはろくなオトナにならんな

だめだ！こうなりゃひとりであのじじいをさがそう！
あっ
ダッ

こらっ ぼうや制服を着たままでていってはだめだぞ！
これはオレの制服だって！はなせよ！

中川 服を ぬがすの 手伝ってくれ！
まったく 先輩は こんな子を 替え玉 なんかに して！
中川 やめろ こら！

ズボン 脱がすん じゃない てめえーっ
わっ

小さいわりに すごく 力が ありますよ
力ずくで 脱がせろ！
よせっ バカ！
うわっ

はなれろ！ ちくしょうめ これは わしの制服だと いっとるだろ！
説明しても 信じない のなら 実力行使に でるぞ！

このまま もう一度 子どもやるのは やだから じじい さがして オトナに もどして もらう！
あとで また くわしく 事情を 説明するよ

本当に 先輩じゃない ですか……？ あの行動から みて……
うーむ いったい 何が おこったんだ？

やい
じじい
どこだ!
男らしく
でてこい!
ズダダッ
あいたっ
ズボンの
たけが
長すぎる
くそ!
サイズが
すべて
LLになって
しまった!
ははは
子どもに
なった
気分は
どうだ!
あっ
じじい
!
てめーっ
このやろう
バカーッ
サイズが
縮んだだけで
全然
変わっとらん…
元に
もどせ
こら!
勘弁して
ください!
私 この通り
深く反省して
ます!
心いれかえ
ますから
元通りに
もどして
ください!
お願い
します
コプコプ
始めから
そのような
気持ちで
いれば
よかったの
じゃよ
どうやら
赤ん坊の時代に
もどさんと
ダメな
ようだな
えっ
そ…
それは
困る

他人に
迷惑を
かけずに
生きて
ゆけるか?
はい
もちろん
ですとも
これを 機に
りっぱな
人間に
生まれ変わる
所存で
おります

よろしい
今回は
大目に
みて
あげよう
ホンダラ
ラッタホイ
!

やったあ!
元に
もどれたぞ
もう
悪い事
するで
ないぞ

もどりゃ
こっちの
もんよ
………
え!?

てめえ
人の身体を
勝手にガキに
もどしや
がって!
何をする!
生まれ
変わった
はずだろ!?

そう簡単に
生まれ変わって
たまるか!
このやろう!
天国に
一番近い
状態にして
やろうか
てめえ!
こらっ
やめなさい
苦しい!

罰を
与えなきゃ
だめだ!
この男は!
ホンダラ
ラッタ
ホイホイ

もし　先輩だとしたら小学生じゃ警官は続けられないでしょう
うむ　あの姿じゃまるでちびっこギャングだ！

部長！
部長！
む!?

あっ

なんだ!? 両津かおまえ？
ますます小さくなっちゃった！
声がでかい

魔法使いのじいさんをだましたらこんな小さくされちゃったんですよ
何やっとるんだおまえは！

そのおじいさんは今　どこにいるんですか？
それがわかりゃ苦労はないよ！

おはよう！

麗子さん！入っちゃだめっストップ！
えっ!?
先輩をふんづけたら大変ですからね
まさか！ほほほ
ほら
きゃあっ——
何よこれ!?
先輩だよ！
でかい声だしやがってもう！
一寸法師みたいやだあ！
こらっ気安くさわるんじゃない！

下だとあぶないから机にのせておいた方がいいな
悲惨なかっこうね！
いて
あとで虫かごでも買ってそこに入れておこう
部長！ひどい
なんて事いうんです

どうしてああなっちゃったの!?
それがね……
くそ！これじゃガリバー旅行記だよ

まいったなこのままじゃ自転車にものれん！
寮まで歩いたら5日くらいかかってしまうぞ

しかし食費は1/30くらいですむ計算になる
経済的なサイズともいえん事もないな！

おい両津
ぬっ
ぎゃあーっ

いきなりでかい顔近づけないでくださいよ
あーあびっくりした！
ちょっと仕事をたのまれてくれ！
広辞苑

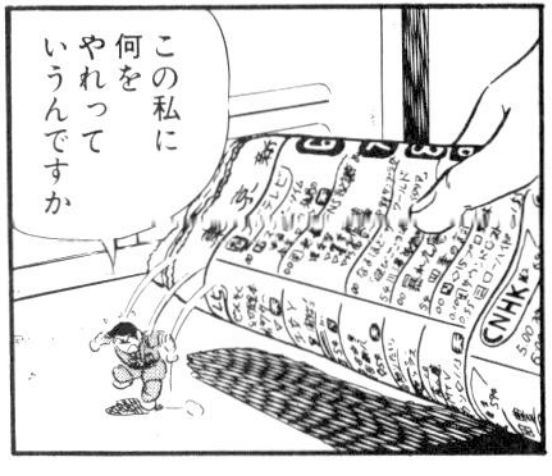
この私に何をやれっていうんですか

先日ロッカーのすき間にお金が入ってしまったんだとってくれんか
くそ！どうせそんな事だと思った！

ほうびに
1割
やるから
な！
やったあ！
約束
ですよ！

うおっ
500円玉か！
なんて
巨大なんだ

くそ〜っ
重たい
コインめ！
こりゃ
3割
もらわないと
あわんな

でたか！
ご苦労
だったな
なみの
ご苦労じゃ
ないよ
ふう！

1割の
50円だ！
ぐべべっ

うーむ
金を　もらっても
買い物にいくのが
ひと苦労だな
お札の方が
もち運び
しやすい！

しかし
わしの
稼いだ
金だ！
しっかり
もらって
おこう！

おーい
中川！
わしを
机の上に
のせてくれ
はい

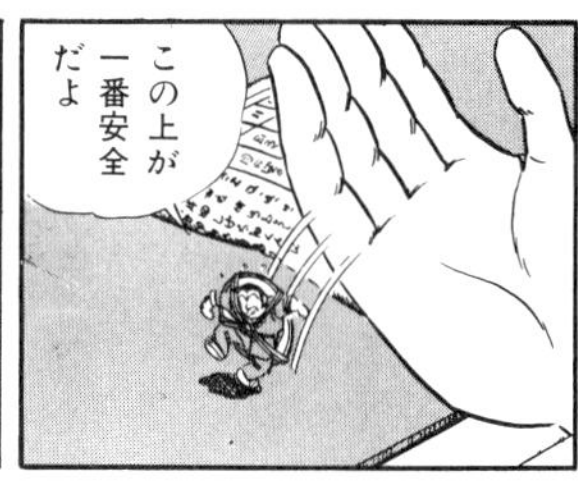
この上が
一番安全
だよ

おまち
どう！
ドロン
ひゃあ
！

だめだよ！
無造作に
机の上に物を
おいては！
え!?

バカッ
もう少しで
つぶされる
とこだったぞ
もう
てめんとこで
とってやら
ねえぞ！

ま
毎度
あり…
ごくろう
さん

はい
先輩の
ラーメン
です！
トン

どうやって
これを
たべろと
いうんだ！
ふうーっ
熱い！
自分の事しか
考えないん
だから！

しかし
ハラが
すいてるのも
事実!
たべるしか
ない!

うおっ
まるで火山の
噴火口の
ように
熱い!
さめるまで
まった方が
よさそうだな

うわっ
ザブン

ぐわっ
ちちちっ
あちちち
ぐわっ

ひゃっ
やけどして
しまった!
やってる事は
ひょうきん族と
いっしょだな!

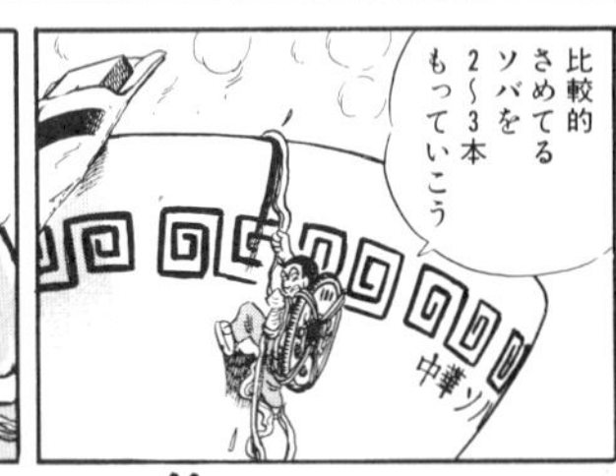
比較的
さめてる
ソバを
2~3本
もっていこう
中華ソ

うーむ
メンが
固いな!
味が
全然ないぞ

ジリリリリ
ぬおっ

ジリリリ
おーい
電話だぞ
!
うるさい
から
早く とれ
こら!

まったくなんてやつらだ!
よっこらしょっと!
もしもーし
ダダダ

公園前派出所ですか

はいそーーですよォ〜っ
ダダダダ

えっなんですって!?

こちら公園前派出所でーす!
ダダダダ
〜そ

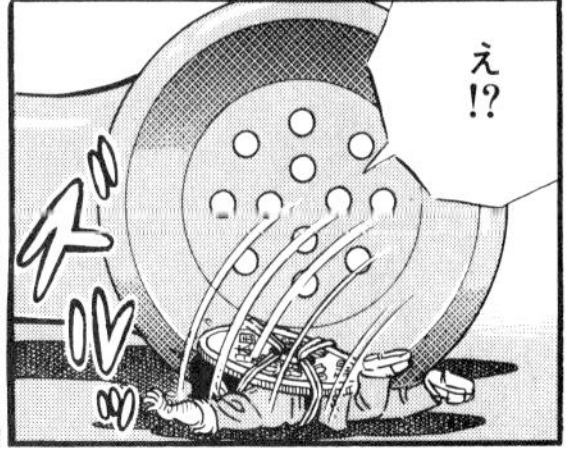
え!?

こちら公園前派……

あっさりきりやがって！ちくしょう
ぜい
ぜい
のどを痛めてしまった…
ぜい

よう両さんいるかい？

いないな…たのまれたジオラマ用粘土やバリヤーコート買ってきてあげたのに！
まったくあれ！

へえーっ
人形改造出展のやつまだ作ってないといってたのに上手にできてるなあ……

本物だよ！
ぎゃあ

どどうしたんだい！そんな姿に！
話しても信じてもらえないからいいよ！

でもすごいよ両さん！ドイツ軍の服を着てポーズをとってれば入選まちがいないよ！これほどのリアルさは…
やめろバカ！近よるんじゃない！

この銃も
リアル〜〜〜っ
すげ――っ
審査員が
腰ぬかすよ
きっと！
こ こらっ
かえせ！
両さん
ちょっとで
いいから
粘土で型を
とらせて
くんない？
もう
おまえ
帰れ！
プラモ
マニアは
おそろしい
発想しか
しない！
残念
だなあ
せめて
服だけでも
もらえば
貴重なのに
……
帰れ
しっしっ
せっかく
プラモ買って
きてもらったが
作るのにも
体力がいるな
接着剤の
中にでも
おちたら
そのまま
かたまって
しまうよ
GSX
750cc
両ちゃん
バア！
ぎゃあ
――っ
ば ばかっ
いきなり
顔だすなと
いったろ！
ふふふ
みれば
みるほど
かわいいわね
あっ
なめんなよ
このやろう！
きゃあーっ
どこ
入ってるの
よ――っ
きゃあ
――っ
なんだ
これは!?
ミクロの
決死圏
だぞ！

いい加減に
しなさい
もう！

あら？
どこか
とんで
いっちゃった
!?

あいたた
ちくしょう
麗子の
やつ！
女は
シャレと
いうのが
わからん！

ヒョイ
あら!?

へへへ
50円
もうけた！

この
50円は
オレの
だぞ
勝手に
ひろわれて
たまるか！

ぎゃあ
ーーっ

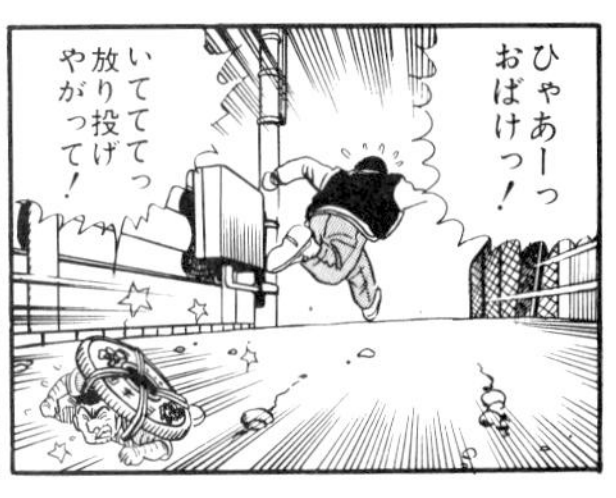
ひゃあーっ
おばけっ！
いてててっ
放り投げ
やがって！

早く
あのじじい
さがさないと
死んじゃうよ
！
どこ
いきや
がったんだ
まったく！

もう
改心
したか？
ボン
あっ

てめ…いや
おじいさま
ボクすっかり
改心
しました
絶対！
本当か
？
ほんと！

うそ

だ だめじゃ
目が 完全に
ウソと
いっている
！
う…
ぐぐ…
くそ！

サイズが
同じなら
こっちの物だ
このじじい
！
元に
もどせ！
生きて
帰さねえぞ
てめえ
あいたた

え――っ
先輩が
ストーブの
中に!?
たぶん…
さっき
ふりはらった
時に……
だって！
どこにも
いないから
……

★週刊少年ジャンプ1985年７号

鉄人レース!!の巻(まき)

なにっ
賞金一億円
だと!!

ええ
以前出演した
テレビ局から
出場通知が
きてました!
やったあ!
運がむいて
きたぞ!
こりゃあ
今度は
体力レース
らしいですよ
だから
有利なんだよ
体力なら
自信がある!
いいか
この事は
秘密にしとけよ
部長に
しれたら
やばいからな

どういう
風に
やばいんだ
両津!
立場も
かえりみず
バラエティー
番組に
ホイホイ
でるとは…
ちがうんです
誤解です
部長!!
私は
このレースで
警官の根性を
世間にみせて
やりたいのです
こんなに
がんばってる者も
いるんだぞ!
と!!

優勝した
暁には!
一割を
福祉事業に
寄付しようと
そこまで
考えているん
ですよ!
本当か?
警察官の体力が
落ちてると
いわれている現在
いい機会かも
しれませんよ
あいつは
体力だけは
あるからな…
もちろんですよ
私が世のために
なる事は
私の幸せです
それが
非常に
ウソっぽい

しかし
賞金の額が
大きすぎる
もし　入賞でも
したら……
現役の
体育大学の
人たちも
出場するんです
いくら　先輩でも
無理ですよ

上位にでも
くいこめば
イメージアップに
なりますよ
絶対
そうだな
出場させて
みるか！

月120％以上
サラリーローン
生き地獄
ぜひ一度
333-9614
この先
亀有

東
東京スタジアム
NFT

アイアンマン
レース出場者
3000名の皆さん！
これより
予選を
行います！

さすがに体力ありそうな連中ばかり出場してるな
この予選で300名にしぼります
582
237
999
38
それでは上にある柵につかまってください
これか…
475
2721
3000
グイーッ
999
1516
うわっ
腕力テストです 地上より5m上につりあげました!
ギイイーン
うわっ
ひゃあ—っ
ポト
ポト
ポト
ポト
ポト
ポト
ポト
うわっ
これで10分間どれだけもちこたえられるでしょうか!?
次つぎと人数が減っています!
ドサ
ドサ
ドサ
まだ 半分残っていますしつこい!
ダイナミックな予選ですね

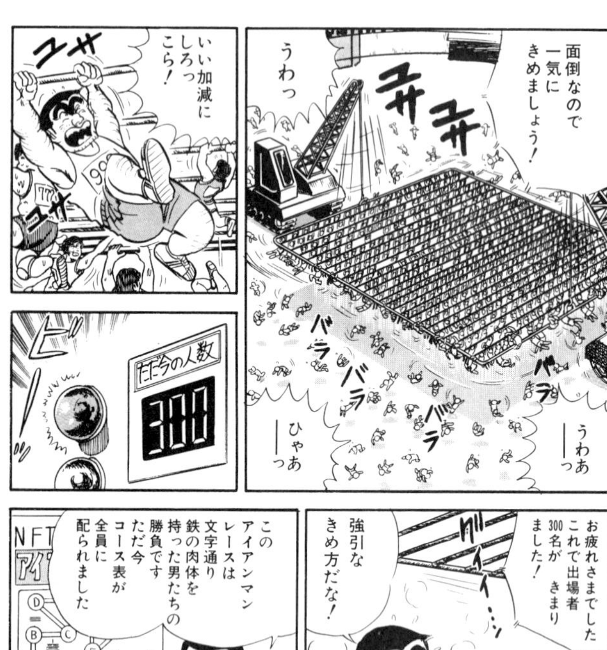
面倒なので一気にきめましょう!
うわっ
バラ
バラ
バラ
バラ
うわあーっ
ひゃあーっ
ユサ
いい加減にしろっこら!
ユサ
ビ
ただ今の人数
300
お疲れさまでしたこれで出場者300名がきまりました!
強引なきめ方だな!

このアイアンマンレースは文字通り鉄の肉体を持った男たちの勝負です
ただ今コース表が全員に配られました
NFT

標準装備の鉄ゲタ 鉄アレイ パワーギブスが各選手につけられます
おいおいこんな姿で走るのかよ!?
99

第一回アイアンマンレースいよいよ
スタート!!

はたして
この中で　だれが
賞金一億円を
手にする事が
できるでしょうか
鉄ゲタの
音も勇ましく
スタジアムから
でました!
思ったより
大変だぞ
こりゃあ…

あれ!?
A地点まで
すべて
直進と
いっても
道が
ないじゃ
ないか!

家が　あろうと
ビルが　あろうと
乗り越えて
直進しなきゃ
失格だよ
なんだと!
鉄人レースの
意味が
だんだん
わかってきた
よ!

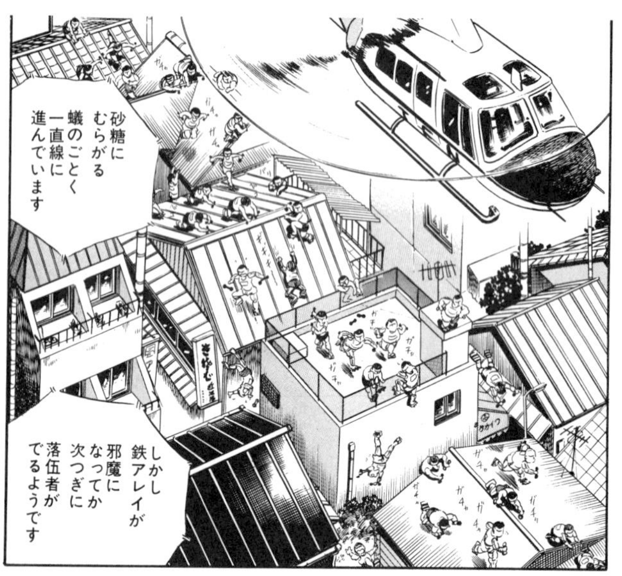
砂糖に
むらがる
蟻のごとく
一直線に
進んでいます
しかし
鉄アレイが
邪魔に
なってか
次つぎに
落伍者が
でるようです

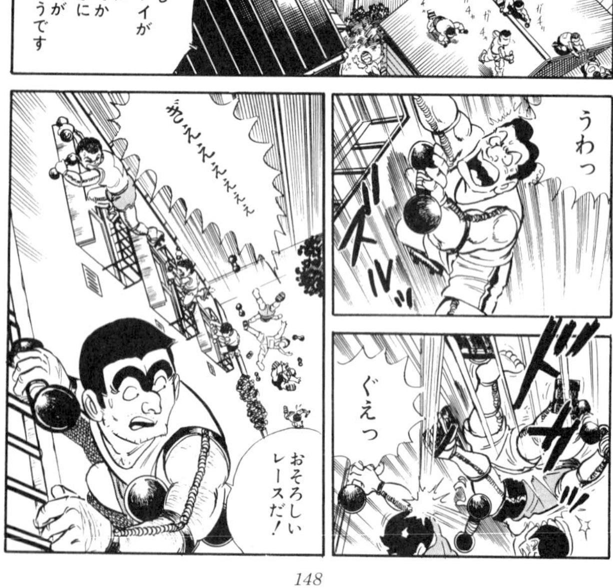
うわっ
ズルッ
ぎえええええええええ
ドサッ
ぐえっ
おそろしい
レースだ!

上位グループがA地点に到着しました！これより自転車でB地点へむかいます！
やった！自転車なら得意だ！
あれ？
グイ
ズ
あっ
バチッ
ちくしょうさすがに体力ある連中ばかりだ！
ズズー
ズズー
しまったチェーンがきれた！
直しようがない！

くそ
次つぎに
抜かれて
いく!
ちく
しょう!

一億円を
棒にふって
たまるか!
グイ
ガチャ

絶対
優勝
するぞ!
ガチャ
ガチャ
ガチャ

すごい
ファイト!
リタイアせず
自転車を　かつい で
走っている者が　います
999番のお巡りさんです

先輩だ!
金が
からむと
すごい
パワーだ!
ワ
ワ

999番　20キロを
走破しました!
おそろしいパワーです
順位は　13位で
B地点到着!
ガチャ
ガチャ

大丈夫ですか
少し 休んだ
方がいいです
よ!
うるせえな
いいから!
次は
なんだよ!

ハードルです
この先3キロまで
続いてます
よくまあ
並べ
やがったな
!

よし
いくぞ!
ダッ
あっ
ちょっと
忘れ物!

この米俵を
3つかついで
渡って
いくんです

なにくそ
こんな
もの!
一億!
一億!!
ガチャ
ガチャ
ガチャ
ガチャ

おい
米俵
ひとり ひとつ
だぞ
えっ
本当!

まいったな
あの人3つ
かついで
いっちゃった!
なんという
体力だ!!

ふう
おわり!
次!
水泳
です
ドド
ズッ

むこうの対岸
までの15キロ
です
今度は
手足を
しばって
泳ぐのか!?

いえ
このヨロイ
カブトを
身につけて
泳いで
ください
もう
なれたよ!
矢でも鉄砲でも
もってこい!
999

1位との差は
どの位だ…
15分位
です!

15分か
上等だ!
水泳で
一気に
つめてやる!

うおおおおーっ

すさまじい追い上げ999番！まるで魚雷のよう真一文字につき進んでます5人抜きました！
ギギギギギ
はいお疲れさま
ジャッ
かかるくいうんじゃない！
並みのお疲れとわけがちがうんだバカ！
よし！回復!!
次っ
オートバイです！
ようやく楽ができる勝負になった！
一番パワーがある750（ナナハン）これにきめた！
そのバイクでいいんですか？
いいにきまってるだろ！
999
じゃ押してあの山を登ってください

おや
上で みんな
待ってるぞ

くそ！
だまされた
おかしいと
思ったんだ
!!
わしだけ
じゃないか
750押して
いるのは！
ちくしょう
あっ
アイアンマンレース
プラモデル
早作りコンテスト
田宮先生
プラモ八段

やったあ
大得意の
分野だ！
審査員▼
これは
忍耐力
テストです
さあ だれが
早く作れるか
999
CBR
CBR
CBR
CBR

一日100個
作った記録が
あるからな
12分の1の
バイクなんか
朝メシ前だ
！
MOTO-GUZZI

はい

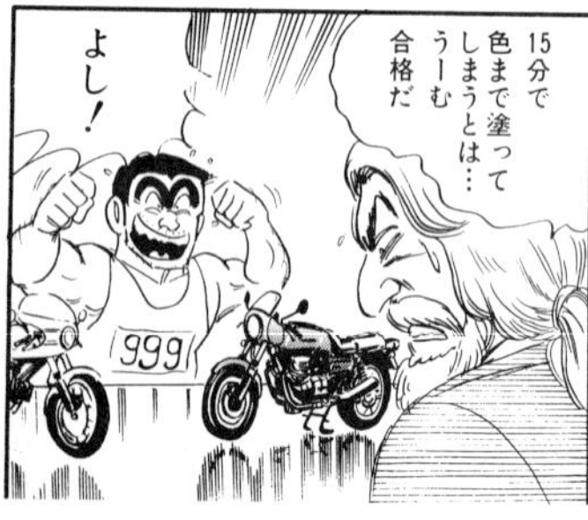
15分で
色まで塗って
しまうとは…
うーむ
合格だ
よし！
999

わしは
今
何位だ！
3位
ですよ
1位との差
8分！
一億円に
片手
かかった
！
あと
ひと息だ
！
ロープを
伝わって
下まで
いってください
要するに
下に
おりりゃ
いいんだろ
そう
ですが…
え!?
せえの！
こういう
ところで
時間を
かせぐん
だよ！
飛びおり
ちゃったよ
あの人！
しらないよ
ぼく！

なんだ!?
バシャッ

あいてて！ちょっと高かったかな？
まあいいおかげでひとり抜いた！
ザザ

一億
一億

チラッ

棄権しよう
ああいう人がいたらだめだ……とても

1位の元オリンピックゴールドメダリスト山上選手最後の課題車引きをおわりました
いよいよラストはスタジアムまでの42キロを走るだけです
CERVO

2位を だいぶ引き離した！もう優勝まちがいないねハハハハ
いえひとり！
2000

突然追いあげてる人がいるんです
ゴゴゴゴ
ん！

一億!
ゴオオオオ
うわっ
一億!
はっ
はっ
はっ
はっ
はっ
あ
あの男の
事か……
すごい!
大型バスが
まるで
走ってる
ようだ!
うかうかして
おれん!
いそがんと
!!
キキキィ
次っ
次は
!!
スタジアム
までの
マラソンです
この
米俵
だな!
あら
よっと!
敵は目標に
入った!
あいつを
抜けば
一億だ!

あらっ米俵しょっていっちゃったよ!?
何考えてるんだあの人!?

東京スタジアム

先輩が2位ですよ2位!
底しれぬパワーだあいつは…
1

1位が入ってきました山上選手です!
どうしたのでしょうペースが速い!?

そのうしろから両津選手すごい追い上げ!
おっと! どういうわけか米俵をしょっています
第一生命
イボジコロリ
2000

ぬいた! 山上選手を抜いてゴール!
優勝は両津選手

よくやった両津!
すごい1位ですよ!

声がでないみたい
ぜい
ぜい
ぜい
あとはわしにまかせろ

皆さん！賞金一億円は恵まれない人びとに寄付するとかれはいっております

ちが…！…いち……わ……りだ……け…
いいからまかせなさい かれは警察官の鑑です
ぜい

いやあ すばらしい！全額寄付とは！
ちが… いち…… わ…り
「当然ですよ」と かれは申してます

あら 両ちゃん 今日 休み!?
熱出しちゃったらしいんだ 肉体的にも精神的にも ボロボロだって！当分 立ち直れないよ
わしゃしらんよ

★週刊少年ジャンプ1984年45号

反省鍋(はんせいなべ)…!?の巻(まき)

歳末大売り出し
歳末大バーゲン
大安売り
特選
オール980円
パン
みかん
スケソコ
↑300m
・フルーツ

12月も
残り数日と
なってくると
世間も
あわただ
しいな
年末年始でも
仕事せにゃ
ならんのが
この稼業の
つらいところ
だ!
D.P.E
プリント各種
パチンコ
アサ

両さん
あとで
もちつきを
手伝いに
きてくれる
かい?
今日は ダメ
派出所の
大そうじ
だからな!
来年いって
やるよ
それじゃ
遅すぎる
よ!
大安売り

おっ やってる やってる

よう! 大そうじははかどっているか?
おや!?

どうしたんだ おまえたち
カゼひいたらしくて!

このいそがしい時期にカゼなんかひいてる場合じゃねえだろ!
ポコ
そんな事いったって!

こら! 中川たちはカゼをおして手伝っているんだぞ!
部長あなたまでも!

カゼなんて弱気だからひくのです私などまったくカゼなどひきません
おまえの体は特別製だ一般人と比較にならん!

体力でなくて精神論をいってるんですよ! カゼひくかな? ひきそうだよカゼかなあ? そう思ってるから 本当にカゼになってしまうのです!

カゼのビールスくるならきてみやがれ!
絶対俺の方が勝つ! 勝負しろ!
このぐらいの気迫でぶつかっていかなきゃだめですよ人間は!
病は気から! 気合いが入っていれば大丈夫!

中川や麗子のようなおぼっちゃん育ちは抵抗力もないからすぐ カゼひいてしまう! そこが いかん!!
おまえは抵抗力が服着ているようなものだからな!

その通り！
ガキのころからチクロやサッカリンがたっぷり入ったたべ物！また人工着色した原色のアメ類原材料のわからぬ駄菓子屋のお菓子…これらで育ってますからね
こうして鍛えられた当時の下町っ子は強いですよ！
だからあっしなど予防注射一度もうたれた事ない！免疫ができてるから

だからカゼごときで仕事を楽にするなど部長は若者に甘い!!
気がゆるんでカゼになったのですからより厳しく！重労働させるのが正しい！甘やかすのが一番悪い！
私などみなさい！
この鍛えられた肉体！
この寒風の中でも気迫さえあれば全然寒さは感じない！

野性動物に近くて感覚がにぶいだけじゃない！
なんて事をいうんだばか者！
むだ口たたくヒマあったらさっさと仕事しろ！

なんにしても
両さんが
きてくれて
助かり
ましたね
あいつなら
男5～6人分の
働きが
あるからな!
ほら
どいた
どいた

うおっ
両さん
裸で
威勢が
いいねえ
あたぼうよ
寒い 寒い
いってられっ
かよ!
すもうとり
など 一月から
裸で
がんばってんだ
負けられ
ないよ!
はは
そりゃ
もっともだ
うひょう

両さん！ そのカッコじゃ カゼひくぞ！
ばかやろう！ ひくはず ないだろ
へっくしょん！
ほら！
いやぁ 花粉が 鼻に 入ったよ
春風の いたずらだ もう 夏も 近いね！
意地っぱり ねえ！ ほんとに！
バカは カゼひかん 放っといても 大丈夫だ！

おや？ 両津の机に 漫画の かきかけが 入ってるぞ!?
それ ですか!?
漫画雑誌に 応募して 賞金100万円 もらうんだと いってましたよ
あいつめ こんな ところにまで 手を だして………
漫画家の家に いった時 ひろってきた ボツ原稿を そのまま かいて るんです 盗作です それ！
両津の 考えそうな 事だ！

ほかに 競馬新聞
はずれ馬券
プラモデル
ベーゴマ
花札 ワッペン
アイドルの
写真……
持ち主の
人となりが
よく 表現
されてますね…
あっ
な…なんて事
するんですか
あんた方
ふたりは!!
人の
プライバシー
を……
まったく!
バタッ
盗作で
賞金を
とる気か
おまえ!
なんて事
いうん
ですか!
話を ちょっと
借りて 絵も
少しょう
似かよわせて
かいてる
私のオリジナル
作品です!
どこが
オリジナル
だ!

その引きだし
カギが
かかってるが
何が入ってるんだ
あけてみろ!
だ
だめですよ
ここは
自分の机は
自分で そうじ
するから
放っといて
ください!

何が入ってるかだいたい想像つきますけどね!
今年も全然進歩がなかった…

ふうようやく終わったわね!
これで気持ちよく新しい年がむかえられるな……
わしが一番重労働してしまったくそ!

さてみんなでいっしょにフグちりでもたべにいくか!
やった!! フグちゃん大好き!

おまえは今夜夜勤だろ大みそかまでずーっと!
そうよそのため夏休み多くとったんでしょう

そりゃ
ないですよ
私だって
一所けん命…
しかし
おまえから
年末3日間
夜勤やるから
といいだし
たんだぞ!

だって!
だって!
フグたべる
とは しらな
かったから!
また
今度
さそって
やる!
両津
ひとりで
がんばれよ

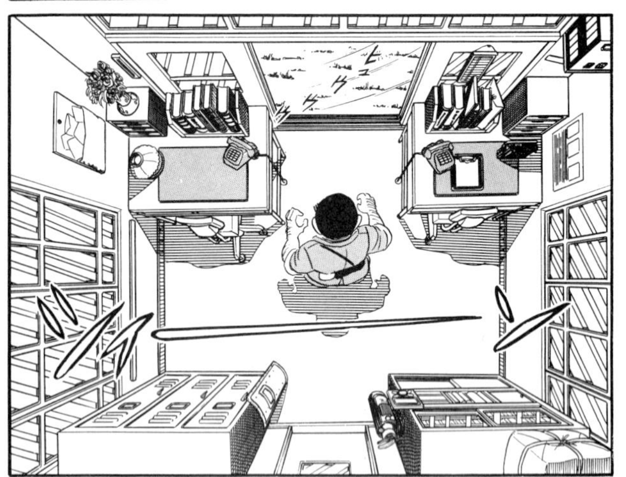

ちっく
しょう
〜〜〜っ
なんて
薄情な
連中
なんだ!
プル
プル
プル

すいません
道を……
うる
せーっ

今は 道より
フグの方が
大事なんだ!
正月早そう
葬式を
ださせるぞ
!!
ザッ
うわっ

わしが
勤務してる
って時に
部長たちは
フグちりか…
くそ〜っ
考えたら
ますます
頭にきた!
すんません
「ふぐ亀」で
40年ぶりに
クラス会やるだ
が どこだんべ
東京
初めてで
わからんべぇ

年末の
いそがしい時
クラス会など
やるんじゃ
ねえ!
フグ
たべるだと!
ふざけるな
!
ズギュッ
ズギュ
ズギュッ
ズギュ
ひゃあーっ
なんだべ
この駐在
さん!?
東京は
うわさ以上に
こわいところ
だんべ!

ふぐ料理
ふぐ亀
ふぐ亀

グッ
グッ
さあ できたぞ！

じゃあ まず 乾杯から いくか…
部長！

やはり 先輩も よんできた方が いいんじゃ ないですか？
しかし あいつが 自分で 選んだ 勤務だから 仕方ない！
でも ロッカー ひとりで 運んだり ガラスを ふいたり 珍しく まじめに 働いてたわよ
ちょっと かわいそうな 気が するわ

私が 少しの間
勤務交替して
きましょうか?
終わったら
また 勤務に
もどってきて
もらえば
いいでしょう
うーむ
そこまでして
よぶほどの
もんでも
ない気が
するが……

私 どうせ
酒あまり
のめないから
いいですよ
ちょっと
よんできます
すいません
寺井さん

今回は 静かに
のめると
思っていたが…
まったく
世話のやける
男だ!
甘やかすと
クセに
なるから
よくないん
ですがね!

ふぐ料理

ガラッ
いやあーっ
どうも
おまたせ
しました
!
まって
ないよ
ちっとも!
くる途中
車にでも
はねられれば
よかったのに
………

部長もお人が 悪い!
むかえを
よこすなら始めから
おっしゃって
いただければ
よかったのに
さすが
部下おもいの
部長だ!
やる事が
にくいですね!
心配させといて
部長ったら
!
酒が 急に
まずく
なってきた
!

…で
あっしは
どこの席
でしょう?
そこだ!
カチャ

へ!?
あそこ?
おまえは
人の3倍は
たべるから
鍋を
独立させた!

まっ　そう
いわれると
その通り
ですね……
適切な
処置と
思います
はは……

おひとつ
いかが
ですか……
おネエさんに
ついで
いただける
なんて
感激だなあ

おジュース
ですが……

部長!
なんです
これは!
おまえは
もどったら
夜勤を
続けるんだぞ
勤務中　酒を
のませられん!

そう
いわれると
そう…
ですが……
これも
適切な
処置で…
とほほ
じゃあ
乾杯しよう
かん
ぱーい

ジュースなんて甘くてとてものめないよ
こうなったらたべる方に全精力をささげよう
むっ部長このフグちょっとかたいですね…
それはおまえのだけ鱈だからな!

た…鱈…!?
予算の関係でそうなってしまった
麗子おまえの少しよこせ!
きゃあーっ変なところから手をださないでよ!

こらっいやらしいマネするんじゃない!
だってフグたべたいよ〜〜〜っ
おまえはこの一年を悔いあらためるため ざんげのつもりで鱈をたべるんだ
そりゃひどいですよ!
なんでフグ屋にきて鱈をたべなきゃならないんだ
私は もういいけれどまだ男の人たち入りそうね!
まだ まだたべられるぜ

すいませーん
フグ鍋
もう　3人前
お願いします
あと
お酒も！
はーい

私も
おかわりして
きます

先輩
かわいそう
ですよ！
そうかァ
もう
反省
したかな？

部長め！
今に
みていろ！
ふぐ

あら
お客さん
運びますよ
あと
ジュースも
もう一本！

すいませんね
手伝わせて
しまって！
いいん
ですよ
お安い
ご用で！
清酒
片岡
白波

フグ　みんな
いただきだ！
わしの鱈と
とりかえて
やる！
くい物の
うらみは
必ず
はらす！

あと便所のスリッパをチギリ入れる
これもいいダシが期待できる！

部長！
わかっておるよ！

両津！鍋もってこっちへこい！
え!?

さっきはちょっと悪かったよ
今度はフグと鱈をとりかえてやるからな！

ちくしょ〜っよけいな事しやがって！
さあたべるか！

さっきと味かわりませんか？
そうか気のせいだろ？
モゲモゲ

やはりここにいただべ
ガラッ
あっクラス会のじじい!?

両津もよかったらいっしょにこっちでたべるか
いえいえ！とんでもない私は　これで十分です！

あっ 鍋たべてるだよォー
この鍋がどうかしたのか？
その駐在さんがトイレでゴキブリやスリッパをその中に入れてただよ
きゃっ
きっきみィ〜っなんて事ォいうんだあ〜っ

そんな根も葉もないウソをつくとは！こいつっ！
廊下でつばも入れてたじゃないだか！
み 皆さんはこんな老人のいう事を信じるんですか？
わ 私がそんな大胆な事するわけないでしょう！

おつゆも残さず全部たべるんだ！
同情するんじゃなかったよまったく！
ちぐじょ〜っあのじじいやはり あの場で息の根を止めておくんだったごふっ ごふっ
ゴホ
ゴホ

★週刊少年ジャンプ1985年4・5合併号

秋の海…の巻

ゴトー
ヨーカ堂

グイ
おい おきろ 本田
あいた!

あっ
「あ」じゃねえ! いつまで寝てやがんだ

どうしたの? そんなかっこうして……
海にいくんだよ! 先週 約束しただろ!
GSX 750R

秋の海・・・の巻

紅葉の時季だから山へいこうといってたんじゃない?
気が変わったんだ海にする!

今日だっけ?来週の日よう日の予定じゃなかった?
気が変わって早めたんだよ
まいったな いつも 予定を気分次第で変えるんだから

目が覚めたらいきなり弁慶みたいなカッコしてつっ立ってるし!
おちおちねてられないよ

ブツブツいってないで早く用意しろ!
あいた!

しかし今頃は波が荒れていて泳げる状態じゃないですよ
だからこそすいていていいんだよ

日本海へいくんだぞ!
え!? 千葉じゃないの!
日本海の方が高波が多くて面白いんだよ
もうムチャクチャだ!
そんないっぱい荷物つめませんよ
わかってるよ
ちゃんとそのために作ってきた
これをここにくくりつけて!

みろこんなにコンパクトにまとまったぞ
うしろだけアメリカンバイク風になってアンバランスだなあ!
HONDA

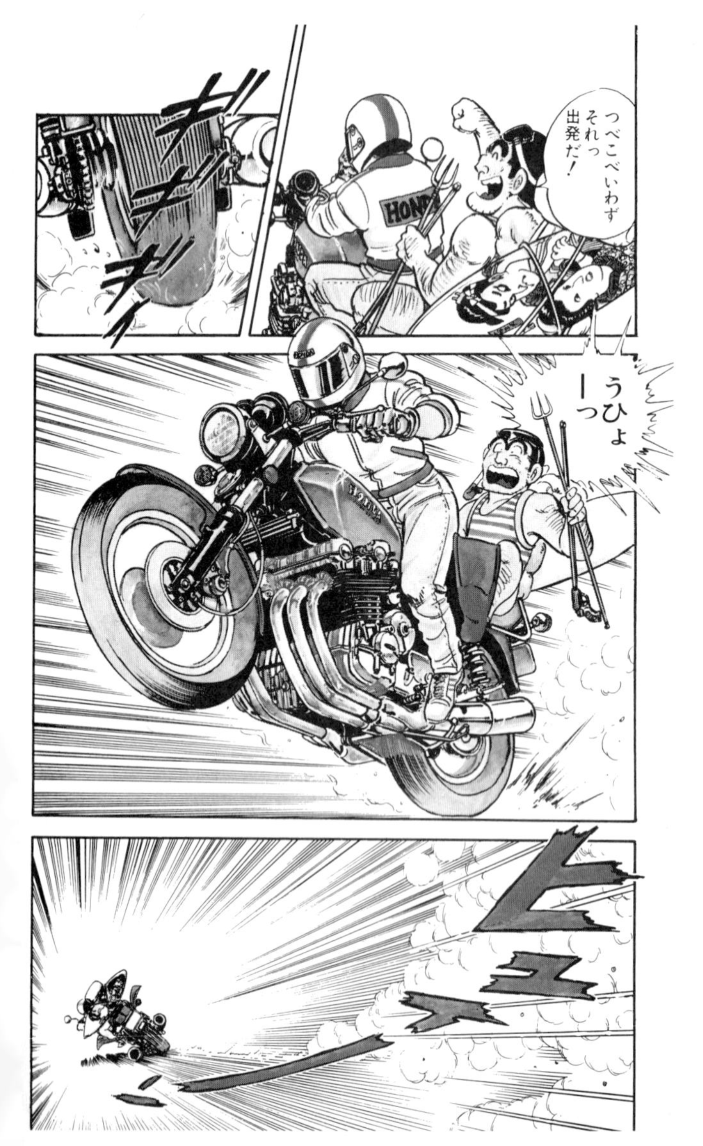
つべこべいわず
それっ
出発だ！
ギャギャギャ
うひょーっ
ドュン

ゴォオオオオオ
すごい
風圧だ!
息が
できん!
そうか!
これを
使おう!
ふう……
楽に
なった!
ジェット
戦闘機
みたいな
バイクだな
ギュッ
ぐっ

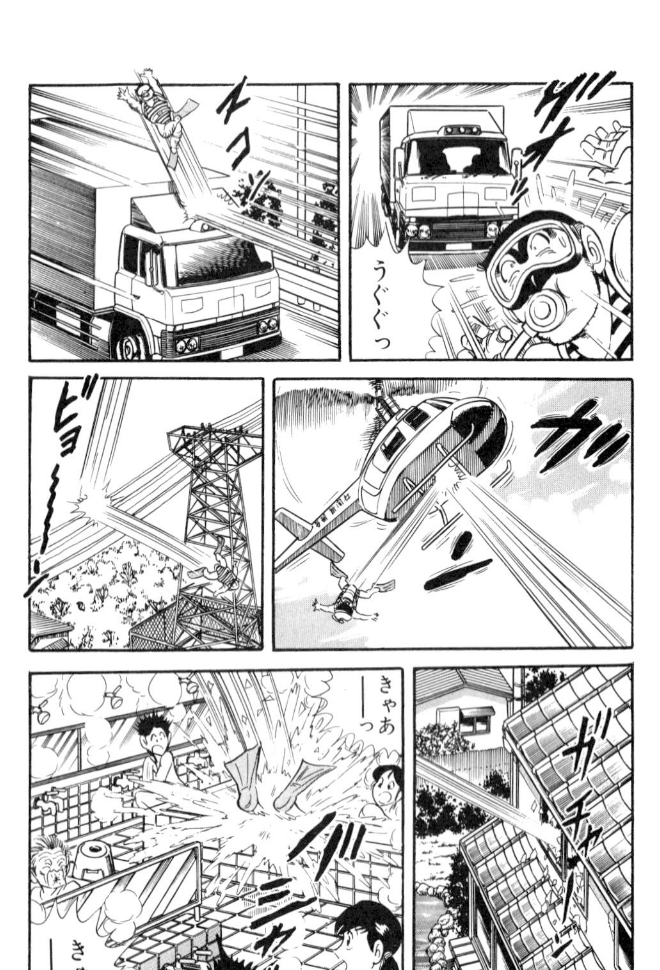
うぐぐっ
きゃあ――っ
きゃあ――っ

ボンベまでつけて のぞきにくるとは図ずうしい痴漢だ！どこから入ってきたんだこいつめ！
ちがう誤解だ誤解！あっぷっぷ
ババババン
バシャ
ザシャ

しっかりつかまってなきゃだめだぜ！
ばかいきなり曲がるからだ！
早朝風呂 松乃湯
松乃湯

体を シートにくくりつけておいた方がいいな！
遅れたからちょいととばすぜ！

休憩所
パパパパパアン
ゲアアアアン

警官がそんなにとばすんじゃな……
うひょっ
ドギューン

みんな速いねうすねちゃん
免停にならなきゃボクが一番速いのにプンプン
あっあれは……
中垂水峠の地元ライダー「イカルスのしげ」だ！
さすが一番速い！
ボクの前を走るやつは許さないもんね
ん!?
あ…れれ
わっ

ギュイイイイイーン
なんだ今の!?
サーフボードを削りながらすっとんでいった!
気味が悪いけどすごい速さだ!
この高価な逆輸入車をぬくとはふとどきな!
AB型のボクちゃんでも いかる
あんぎゃあ
このニンジャが許さんぞ!
右へ左へゆれて飲みづらいなあ!
もう いいや やめた!
あっ
AKEMI
イカルス
SHIGE
BY HINO

アクシデント
の時こそ 天性の
反射神経が
ものをいう

カン
ぐうっ

ドオァ

なんの音だ…
花火か?
時季
はずれ
だな!
HONDA

スカイ
デニサン
in

ドライブ
インが
だいぶ
ふえてきた
どこかに
入って
メシにしよう
ビイイイイーン
IN
ドライブイン

屋根にゼロ戦がのってるぜ!
よく雑誌にのってるんだこういう変わり種の店!
和風レスト

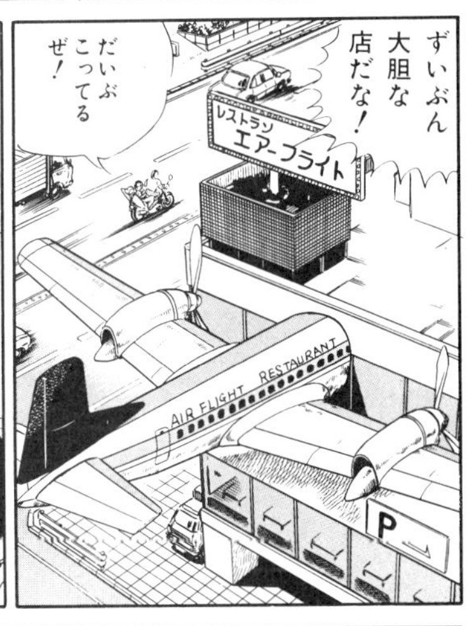
ずいぶん大胆な店だな!
だいぶこってるぜ!
レストラン
エアーフライト
AIR FLIGHT RESTAURANT
P

こってるというより変態的だぞこのあたりの看板は………
ICBM

あのレストランなんかすごいぞ
リアルだな!
BIG-CR

本物だ!交通事故だよ!

どこにするんだいダンナ
どこも気味悪い店ばかりだな

よし この店にきめた!

ここも相当すごいですよ
びっくりハウス
ファミリーレストラン
24時間営業
日本的でいいじゃないか!

ごめんよ入るぞ!

そこはだれもいないよ
なに休みか?

こないだの大雨で落ちてきた住宅ですよ

看板がちゃんとでてるぞ
方向がちがうんです右側の……

こちらが　本当のレストランですよ
似たようなもんじゃねえかまったく
いらっしゃい！
本当にびっくりハウスだな
びっくりハウス
P
こんな坂じゃ水がこぼれちまうぞ
いらっしゃい！
コトー！
納得！
さあて何をたべるかな………
MENU

なんだこりゃ?
メニュー
コーヒーラーメン
こうちゃラーメン
コーラ ラーメン
カルピスラーメン
みそコーヒーラーメン
ジャムコーララーメン
あんこスパゲティ
ジャムスパゲティ
ヨーグルトスパゲティ
ぎょうざサンド
プラサンド
かつおのたたきサンド
☆すべて時価
サンマ丼
カニ丼
バナナ丼
くさや丼
なっとう
ウニコー
げろコ
MENU
コーヒーラーメンってなんだ?
メンツユがコーヒーなんですそれにしますか?
ブレンドですか? モカ コロンビア ブルーマウンテン いろいろありますが
やめたやめ!
サンマ丼ってどういうんですか?
カツ丼風でカツのかわりにサンマが入ってるようなものですよ
それならたべられそうだな
生きたままですが……
こらっそんなもんくえるか!

サンマのおどりなども有名なんですがね
白魚じゃあるまいしノドがつまっちまうよ

カニ丼のカニは生きてるのか?
いえ死んでます
じゃそれ!
MENU

本田
何にすんだよ
早くしろ!
MENU
う~~~む
まともな
のが……
じゃ こいつ
ジャムコーラ
ラーメン!
はい
わかり
ました!

なんで ボクが
そんなもの
たべるん
ですか!!
話のタネに
なる
一度
たべてみろ

おまち
どうさま

いやあ
本田くんの
おいしそう
だね!
あったかい
コーラに
イチゴジャムと
バナナが入ってる
気味悪いなあ

ありゃ!?
ちっちぇえ
沢ガニが
一匹!

ちくしょう
ほとんど
玉子丼じゃ
ねえか
だまされた
!
あれ?

おい
ハシくれよ
これは
ストロー
だぞ!
それで
いいんですよ

下は
ソーダ水
なんです
チュ〜〜〜〜ッ

ゴハンは
どこに
あんだよ
!?
カニ丼入り
ソーダですよ
丼とは
丼ソーダ
の事に
きまってるでしょ

ゴハンは
ゴハンサラダに
ついてます
無論
生ですが
帰ろう
この店は
ダメだ!

ノンストップで
日本海へいこう
空が
曇ってきたぜ
やばいぜ!

★週刊少年ジャンプ1984年41号

魔法の杖の巻

ブォォォォ

両さんいますか？

今お風呂に入ってるわよ
ちょっと頼みたいんだけど！

ちょっとぬるくなってきたな

おい中川熱くしてくれ！
はい

COBRA
AC COBRA 427
こんなもんですか？
おっいたいた！
バカ熱すぎだあちち！
ゴボゴボ

〈Z(ゼット)ゲージ〉西(にし)ドイツのメルクリン社からでている鉄道模型。現在、量産されている中で一番小さいシリーズ。なんと1/220スケール。人形が約6ミリ。"Z"とは、これ以上小さいものは、ないという意味で、アルファベットの一番最後の文字"Z"をつけたのだ。これでキミも鉄道博士!!

おまえの
新しい家だ
!
ドタッ

土地を
一坪買えば
豪邸に
なるぞ
わっはははは
くそ!

中川! 早く
あのじじいを
さがして
こい!
は
はい!

ボアン
どうだ
少しは
反省したか
?
あっ
じじい
!

あ… いや!
魔法使いの
おじい様
私 この通り
後悔の念に
かられ 罪を
心より深く深く
反省いたしてる
毎日で
ございます
口だけは
達者な
男だからな
こいつは…
ペコ ペコ

よし
わかった!
ボワ

やったあ——っ
元にもどれたあ!

もどりゃこっちのもんよおう!
よくも人をさんざんオモチャにしてくれたな!
グイ

この礼はたっぷりと……ん?
あっありゃ!?

わしが 小さくなっただけでおまえのサイズは変わっておらん
礼がどうかしたのか?

いや その!お世話になったおじい様にお礼をさしあげようかと…
こんなところにゴミが…ははは
ポンポン

うーむ よくみると正絹(しょうけん)のお着物高そう!さすが おじい様だ 上品なおみたてがいい
もう遅い おまえの本心はわかった!

10年間そのままでいなさい! 10年あとにまた会いにくる!
あっ そんな! 10年もいやだ!

わしもついてくぞ！
ピョン
スッ
あれ

話し声が聞こえてたようだけど気のせいかな……
先輩！ごはんですよ大好きな焼き魚です
鯨サイズのいわしですよ先輩！
Mr.Bike
天国
絶賛上映中
笑えば天国
出演
榎本健一
花菱アチャコ
古川緑波
天国から来たチャンピオン

天国警察
下界のパトロールもつかれるな！
部長おつかれさまです！
備品

下界に
問題児が
おってな！
まいったよ
…おや？
てめーっ
もどせっ

元に
もどせ
こいつ！

おまえさん
どうやって
天国に
きたんだ!?
わらじに
くっついて
きたんだよ
元に
もどせよ！

花山里香くん
はっ
はい！

近頃 下界の
治安が 乱れてるぞ
もっと 天罰の数を
増やしなさい！
はい
係長！
前向きに
善処します
はい！

まったく
こんなところに
きおって！
地上の人間を
つれてきた事が
わかったら
懲戒免職
ものじゃよ！

おまえ
地上じゃ
えらそうに
してるが
この職場じゃ
弱いな！
放っとき
なさい！
そんな
事は！

早く元に もどさんと バラすぞ! 係長さあ〜ん この人はね〜っ
わかった わかった もどすよ!
THEかわや

ふう やっと元の サイズに もどれた!
生きたまま 天国にきたのは おまえが 初めてだよ すごい男だ!

みつかると まずいから 輪を のせて おこう
昔の コント みたいな スタイル だな!

せっかく きたんだから ちょっと 天国見物 でも!
だめだめ 早く 帰るの じゃ!

道が ふわふわ してる以外 地上と全然 変わらない じゃないか!
昔は もっと広くて のどかだったんだが…… 時代の流れ じゃな!
地下鉄
COFFEE

どんな大事故を起こしても死なんから暴走族が暴れ放題じゃよ
地上より始末が悪いな!

うるせえなお上の世話にゃならねえよ
またでたな酔っぱらいオヤジめ!

でェじょうぶだひとりでけえるから放っとけよ!
あ!?
おまえこの飲んべえをしってるのか?

俺のひいじいさんだ! 写真でみた事あるぞ!
なんだと!?

おい! じいさん! こんなに酔っぱらってもう!
なんだお前
う〜〜む 血は争えぬものじゃ…

銀次の息子の勘吉だよ 浅草で佃煮屋やってるオヤジの長男!
おお 銀次か しっとる わしの孫だ! するとおまえがひい孫かあ…
ひっく

無類の大酒飲みと聞いていたが… 死んでも飲んでるとは筋金入りだなこりゃあ!
いやあ ひい孫に会えてめでてェ! 飲みにいこう

早く！いくぞ！
あまり人様に迷惑かけるなよじゃあな
近いうちにまた こいよ待ってるぞ！
そう簡単によばれてたまるかよまったく！
会った事地上で話すんじゃないぞ！秘密じゃ！
天国へいってひいじいさんと会ったといっても本気にしてくれないから大丈夫！
いいな下界では反省してまじめに暮らすのじゃぞ！
わかったよみやげぐらいくれてもいいのにケチ！
おやじいさん杖を忘れていった
まったくもうろくしてんだから！
魔法の杖ですよ！それなくすと大変ですよ
えっ魔法の杖!?

そりゃ大変だおじいさんに届けてあげないと！
へへっいい手みやげができたぞやったね！

ギギッ
TAXI

大変な忘れ物をしてしまった！
ダッ
あっない！私の杖が！

お巡りさんがもっていきましたよ！今の便で下界へいきましたが……
なんだと！

KAZU YOSHI
びゅいいいいん

ブオン
ブオン
ブオン
天国交通
ぴっ

あいた!
ドタッ

乱暴な
おろし方
しやがるな
ブオン
ブオン

しかし
やったぜ
へへへ
天国の
杖を
もってきち
まったんだ
からな

さっそく
実験して
みよう
何が
いいかな

ブァァァン
よし
あの
バイクに
魔法を
かけよう

消えて
なくなれ!
ホンダラ
ホイ!!

パッ
ずおおっ
ガリ
ガリ
ガリ
ガリ
SUZUKI

なんだ!?
なんだ!?
僕ちゃんのガンマが消えた!? ひええ〜っ
SUZUKI
う…う… これはおっ面白い
わく
最高じゃん!!
ガリオオオオム
暴走トラック
次はあの暴走トラック
ピタ
カボチャになれ!
ホンダラホイ!
やったあ本当にカボチャになりやがんの!
わはは! こりゃたまらん!
ドドーン
先輩どこいっちゃったのかな?
ばかに上がやかましいな
ドドーン

パッ
ぐわっ
ゴロゴロゴロ
うわっ

あっ 両津が元に もどっている!!
何を してるそんなところで!
両津ではない! 私は神だ!
ピクッ
また 一段とバカにみがきがかかったのかおまえなどハナガミで十分だ!
あっ
神を冒とくする愚か者め!
天罰をくらえ!
うわっ
ボン
小さくなった!?
えい!
くそおしい!
うわっ
ドスッ
ひゃっ
人が小さい時さんざんなぶり者にしやがってわしは手加減しないぞォ!!
ドガ
ドガ

あっ あれは！
じいさんが とりもどしに きたな！

絶対 渡すものか！
この杖で 世界制覇 してやるん だ！

遅かった か！
あ あなたは ？

今の私には 力が ないのじゃ！
早く 警察の 力で！

さすが 治安日本一の 警視庁だ もう きやがった
敵に回すと おそろしい やつらだ!!
プァン
プァン
プァン

しつこいぞ きさまら 神を 追うな!!
エジプト にでも いってろ！

ひええーっ
どこです
ここは!?
わからん
どうなって
いるんだ!?

ベンベルグ
わしを
つかまえ
られると
思ってるのか
!

うわっ
てめえら
!
ダッ
つかまえ
たぞ!
杖を
うばい
とれ!

時間よ
止まれ
!

やばかったな
くそ!
不意うち
しやがって
!
生身の体で
月の裏側に
送っちゃうぞ
ちくしょう

わしの
しかえしの
おそろしさを
みせてやる
市体育館
世界プロレスタイトルマッチ
ノン・カツラ
VS

プロレス界で
一番 凶悪な
ノン・カツラと
タッグマッチ
させてやるよ

もう
逃げられ…
…あ!?
あれ!?
どこだ
ここは!?
ファーファー
きさまら
とび入りか
面白い!
相手して
やるよ
ジャンバラヤ
いえ!
ごめんなさい
そんな
つもりじゃ…
バキ
ドカ
ぎゃあ
——っ
ぐえっ
グワ
うーむ
いい音だ
心にひびく
叫び声かな
……
先輩
このあたりに
いるよう
ですね!
やりたい
放題
やってるな
ブロロ…
あっ ストップ
100メートル先に
いるわ!
自動
販売機で
何かしてる
けど……
品物が
でなくて
たたいてる…
せこい人!
チャンスだ
一気に
つかまえ
よう!

ちくしょう
100円
もどって
こないぞ
くそ〜っ
ガン
ガッ

神に
さからい
やがって
えい！
ボ

ざまあ
みやがれ
サバの味噌煮
カンヅメに
してやった！
どうだ
おみそれ
したか！
ポコペン
タ

私は
天下万能の
神だ！
これからは
ジーザス・両津と
よんでくれ
わはははは
わ
は
は
は

おっ!?
あれは
今は なき
旧一万円札！
ピクッ

私に
拾われるとは
運のいいやつよ
むふふ
あ
あれ？
ズズッ

あっ
しまった
杖が!!
まったく
金の
亡者だな
この男は…

これ これ！
逃げるでない
近うよれ！
なかなか
ういやつ
じゃのう
むふふ

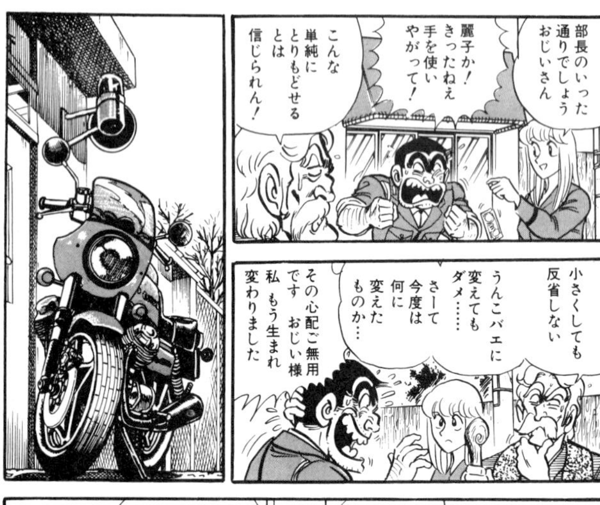
部長のいった
通りでしょう
おじいさん
麗子か！
きったねえ
手を使い
やがって！
こんな
単純に
とりもどせる
とは
信じられん！
小さくしても
反省しない
うんこバエに
変えても
ダメ……
さーて
今度は
何に
変えた
ものか…
その心配ご無用
です おじい様
私 もう生まれ
変わりました

ぶちょーっ
イスは もっと
やさしく
使いましょう
備品は大切に！
いててててて！
禁煙
やかましい！
イスらしく
もっと
おとなしく
していろ！
ギシ
ギシ
MOMDE
イスに
なっても
性格は
変わらないいな
………
ディズニーの
漫画映画
みたい！

★週刊少年ジャンプ1985年14号

恵比須くん！の巻
GrandMaster
NATIONAL RIFLE

秋の交通安全
ヴォオオオオッ

シュッ
シュッ
シュッ

この前まで
モデルガンの
木製グリップ
作ってたでしょう
それだろ!?
注文が多すぎて
供給が
間にあわず
手間かかるんで
やめた
シュッ
シュッ

何 作って
いるんです
？
テレビの
キャラクター
人形の
木型だよ

キャラクター物なら原型の金型をひとつ 作ればいくらでも量産が できる
手作りグリップではいくら わしでも1日5個が限度だ勤務中には！
シュッ
シュッ

今月は 金を使いすぎて一円もない！この人形に生活をかけてるから大量に作らんと食生活があぶない！
大変なんですね
シュッ
シュッ

しかし器用に削るものですね
ガキの頃はエンピツ削りの大天才だったからな！ナイフの使い方は筋金入りよ！
シュッ
シュッ

なんでも作れるぞ熊なんか大得意！北海道みやげと見まちがえるぐらいだぞ

何かリクエストあるか？
え？

そうだ部長の顔にしよう
本当ですか？
シュッ
シュッ

あの顔なら10分でできる！
亀有のミケランジェロといわれるこの私には朝メシ前！
シュッ
シュッ
シュッ

ほら
できた!
すごい!
プロ並み
ですね!
だから
私は
天才だと
いった
でしょ!

いざとなったら
大黒様や
七福神を作って
ディスカウントストアに
売っちゃって
生活できちゃう
才能が
あるんだから
生活力が
ありますね
先輩は!
もう少し
表情を
つけた方が
いいな

うーむ
部長の
イヤミの感じが
たっぷり!
だれが
イヤミの
元祖なんだ…
ん!
あっ
元祖
イヤミだっ
ヌッ
いや
イカスって
いったんですよ
イカス
二枚目!

なんだ この木クズは! また 何か やってたのか?
いや ちがいます これは 鰹節ですよ
ほら! うん おいしい いいダシ でてる!
ムシャ ムシャ
全部 たべろよ 残さずに!
今日 新人が くると いって ましたけど……
ゴホ ゴホ
うむ 今 いっしょに きている
恵比須くん きたまえ
皆さん はじめまして 恵比須です よろしく
こちら こそ よろしく
おまえは 挨拶は いい たべてろ
ゴホ ゴホ

わははは
ははは

ぐ ぐるしい 水! 早く!
はい!

ゴク ゴク ゴク
すいません おどろかして しまって!

がはは はは はっ

なんなんだ! おまえは!? いきなり 笑いやがって
すいません 笑い上戸 なんです
くく…
くくくく…
くくく ぶっはは すいません

両親など 根っから 明るい家庭 なもので…
子どもの ころから 笑いが 絶えま なくて おかげで 顔も このまま もどらないいんです

明るくて いいじゃ ないすか!
明るすぎ ちゃって 困りますよ! まじめに しようと 思うと よけい おかしくて つい

まったく
とんでも
ないのが
きたものですね
部長！
さっそく
いっしょに
パトロール
してこい

えっ!?
私と
いっしょに
！
あたり前だ
おまえが
指導するん
だ！

この
笑い袋を
指導ね！
ムラッ

プッ
ぐふふふ
がははは
また
始まり
やがった！

おい
パトロール
いくぞ！
え!?
パ
パトロー
ル…!?

わははは
パトロール
だって！
はははは
ひっひっひ
だめ
ですよ
こいつ！
いくんだ！

おい
力入れろよ
ちゃんと歩け
こいつ！
くくくく
すいません
ブッ！
ははははは
ぐっぐっく

勤務
大丈夫なん
ですか?
あの人
以前は
刑事課に
いたらしいが
本人が外勤を
希望した
らしい

両津なら
なんとか
なるだろうと
引き受けて
きたんだが
むずかしい
わね……

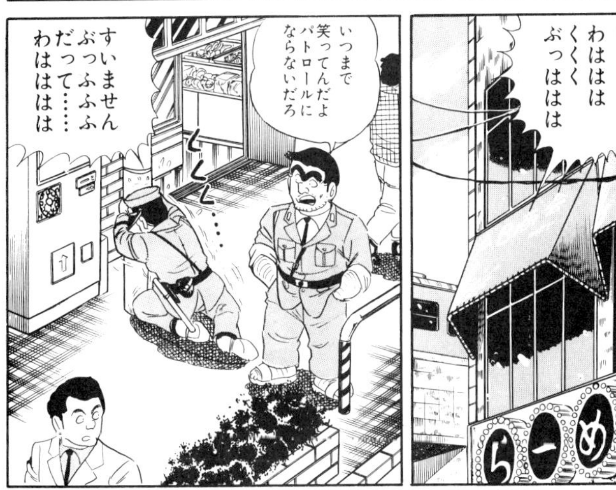
わははは
くくく
ぶっははは
いつまで
笑ってんだよ
パトロールに
ならないだろ
くくく……
すいません
ぶっふふふ
だって……
わははははは
らーめ

あの
スバルが
いけないん
ですよ
くくく
スバルが
どうか
したのか?

あの形で
走る姿を
想像したら
おかしくて!
がっははは
わははは
ははは
つまらん事で
笑うな!

笑いすぎて
苦しい!
助けて
ください
ぜいぜい
ぶっはは
ははは
てめえで
なんとか
しろ!

これでも
以前は ちゃんと
おかしい事で
笑ってたん
ですけど…
この頃は
無差別
なんですよ
まいりますよ
こっちのが
まいるよ

落語でも
ききに
いったら
大変だろ?
とても
いけま
せんよ!
演芸場の
前を 通る
だけでも
笑って 歩け
ません!

漫画の本
なんか
さわっただけで
2時間は
笑ってますよ
それなりに
苦労
してるんだな

「笑う門には
福きたる」と
教育されて
きましたからね
親を 恨みます
落ちついた
ところで
いくぞ!

ぶっ

ぶっははは
がっははは
なんだ!?
いきなり
笑いやがっ
て!
すいません
わははは
とまらない
ひっひひひい
ひい――っ

バカにしやがってふざけるな!

あいたたはははいててっぶははは
どうしたんだおい
顔みて笑ったらなぐられました!

あたり前だろ下町の連中は気が短いんだぞ!
あいてわはははまいったははは
目と目があうとつい笑っちゃうんです

キョロキョロしないでちゃんとついてこいよ
すいませんふっふふふ

あっ

事故だ!

おい大丈夫か!

あははははぶはははげらげらげら!
大丈夫ですか?わっはっはははは

笑うんじゃない!
ごめんなさい!うぷぷっ

こ　これを早く届けてください
この先の片岡家にお願いします!
よし

おい恵比須!この香典を届けてこい!
と　とんでもない!葬式の場所なんていけませんよ

わしは事故の検証にたちあう!おまえいけ!
こ　この顔でいけると思いますか!?

下向いたまま黙って渡してくりゃいいんだよさっさといけ

まいったなもう!
緊張する場面が一番笑っちゃう体質なのに!

受付

あそこ
だな…
ぷっ

ぶはは
あははは
ぷぷわっ
だ だめだ
あははは
ふあふあっ

外勤になって
初めての仕事だ
ここは なんとか
頑張らねば
目を
あわさない
ようにして
渡してこよう
くっくっ

別の事
考えよう
秋の
総裁選では
秋風が吹いて
手を挙げて
る人と挙げ
かけてる人と
両手あげてる人
たちの話しあいか
それともブツブツ
ぷっ
ぷっ
ぷっ

あっ
こちら
です
受付
ぶっ ぶっ
ドッ

こ このたびはどうも…
ごていねいにすいません

あのお坊さんマルコメミソみたいだったね
ぷっ

ぶふっぶふっぶふふぶふふ
う…うぷっく…
大丈夫ですか?

気をおとさずご焼香をしてあげてください
く…い いや
ぷふくく…

こんなに泣いてくれるなんて!
本当にねえ……
ううう

ぷっ!

ぶはははあはははははだめだ!はははははもうやけくそだあははは
ドドドド
おかしいひいいっは

遅いな
恵比須のやつ
何やってるんだ

ど
どうも
遅くなり
まして!
あっ

また
なぐられたのかよ
しようが
ないやつだな
いく場所
少しは
考えてくださいよ
おめでたい席
以外は ひんしゅく
買いますよ
この顔じゃ!

おこった事
ないのかよ
一度も!
両親からは
一生に三度だけ
おこる事を
許されてます

根が 明るい
せいか
おこる機会も
ありませんよ
おこった顔が
想像
できんよ!

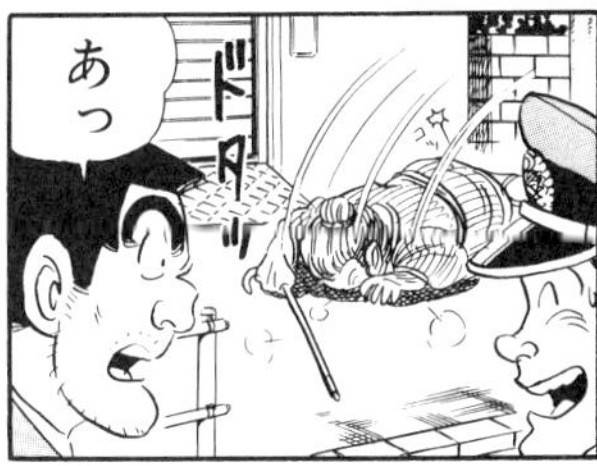
あっ
ドタッ

ぶっ
あははは
げらげら
ぶっはっはっ
おばあさん
大丈夫!
ぷっははは

よけいな
お世話だよ
ちくしょう
ドシャ
いたたっ
わははは

敵を
ふやす
タイプだな
おまえは……
そうなん
ですよ
あはは
困ったなあ
はははは
ひいっひひひ
ははは

おっ
ピー
ピー

近くで
事件だ
こい！
ちょっと
待ってください
笑いすぎて
おなかが…
痛くて…

どういう状況なんだ!?
犯人が銃を持ちたてこもっていいまして説得中です

犯人はすごい泣き上戸でなかなか説得に応じなくて
そうかようし!

泣き上戸には笑い上戸のおまえが一番だ説得してこい!
えーっなんでこの私がいくんです

百万ドルの恵比須顔のおまえが話せば犯人も納得する!
そんなムチャですよ!
ドン

あっなんだ!?
あいつは?

おーいきみィ
ぷっぷははははははっ
だめだ!緊張の極限状態で笑ってしまうあはははひいっひひ

ちくしょう笑い者にしやがって!
おまえなんか死ね!
チャッ

ズギューン
ぎゃあ——っ
あははは
ひっひいひい
いてえ
ははは
ひいっひい
あははは
げらげら
ドン
ドン
ドン
撃たれて笑っている!
しっ
あれこそ
あの巡査の
捨て身の
戦法なの
です!
気味悪い
お巡りめ
くそ!!
ズギュ
ズギュ
ズギュ
こ こらっ
やめろ!
あははは
あたるぞ
ひっひひひ
やめろよ…あははは…ぐおっ
やめろ!!
ひいっ
狼男だあ——っ

ひいっ
ドカッ
バキ
ミキ
ごめんなさい
助けてくれ
〜〜〜〜〜っ
ぐらっ
ぐらっ
あれ!?
ひいい
………
あいたた
血が 出てる
あははっ
ドヤ
ドヤ
あっ 犯人が
つかまってる
いったい
どうなってるん
ですか?
ひい
こわいっ
よくやった
きみを
信じて
いたぞ!
えっ
何を!?
ふだん 明るくて
温厚な人間を
おこらすと
どういう目に
会うか よく
わかったぞ

★週刊少年ジャンプ1984年42号

小さな巨人(きょじん)!?の巻(まき)

天国
天国商事会社
歩行者天国
朝 10時より
夜 6時まで
TENGOKU

天国警察署
天国警察

下界治安係

なに!
また
あの警官が
めんどうを
起こしてる
だと!

犬に自転車をひかせたりカラスをつかまえてスプレーでまっ白にぬったりしてます
なんてやつだ…
前回の罰が甘すぎたようじゃな
もっと厳しくせんといかんな

部長下界へおでかけですか？
うむ東京の葛飾区へとんでくれ

人工衛星が多くなった十分注意しろ
天の川は信号3回待ちですからね

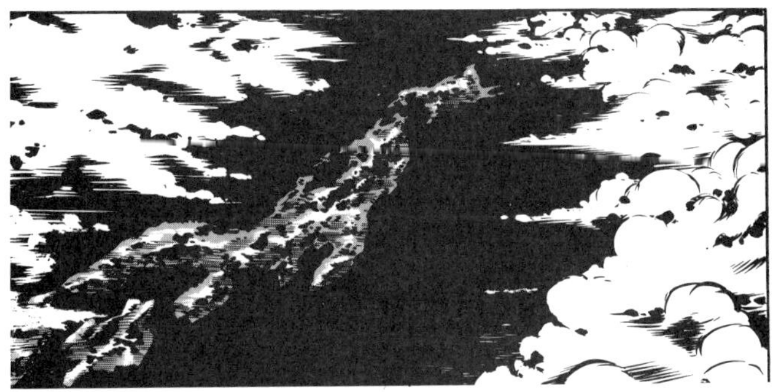

ん!?

こらっ しっしっ
派出所に入ってくるんじゃない

メシの最中きやがって! くい意地のはった犬め!
あっちいけくそ!

一般人ならやさしくたべ物でも恵んでやるのだが…
あいにくと俺様は そんな寛大な心をもちあわせておらん
ギュッ

出ていかねえとぶっ殺すぞ!

ボーン
あっ

相かわらず野獣みたいな男だなおまえは！
あ！いつかの天国のじじい！
少しはやさしさをもったらどうじゃ
そんな物いらん！男は体力と行動力があれば十分だ！
肝心の学力と実力が留守になっているようだな…
うるせえな大きなお世話だ!!
てめえこそ下界に何しにきやがった！天国でおとなしく蓮の上にでものってろ!!
く苦しい何をするんだ！
もう一度小さくなって反省しろ！
ボ
げっしまった！
また小さくされてしまった！
てめーっこのやろう元にもどせ
くそじじい!!
小さくなってもパワーはかわらんな

心を入れかえたら また 現れる それまでは その姿でいなさい
あっ 今 すごく 反省 しました もう 大丈夫です！ 心入れかえ ましたから おじいさーん

いっちまった ちくしょう〜〜〜〜っ
あのじじい 魔法が 使えるのを すっかり 忘れていたよ まいったな！

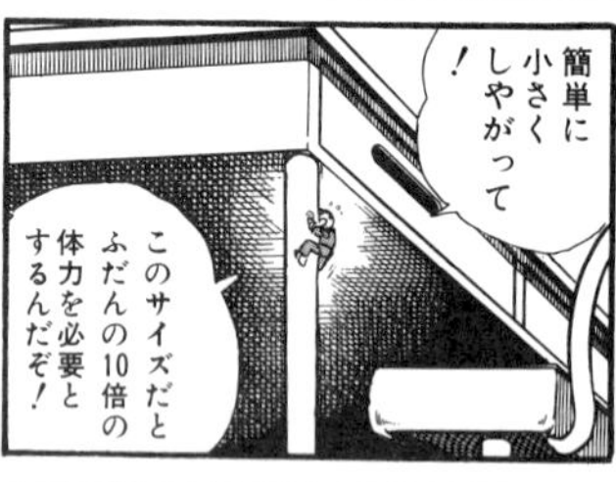
簡単に 小さく しやがって！
このサイズだと ふだんの10倍の 体力を必要と するんだぞ！

この事が 部長に しれると やばいな
ビンに 入れられて みせ物に されそうだ！

昼間から 酔っぱらいの ケンカには まいりますね
困った ものだ！
帰って きた！

湯飲みの中に かくれて いよう！

むっ また 両津 どこかに 逃げたな？
ゴボゴボ

ぎゃあーーッ
あちっちちいっ
ゴボゴボ
まったく留守番もろくにできない…
ん!?
ぶわっ
あちちちっやけどしちまうよ
もう少しで部長に飲まれるところだった

どうしたんです?
お茶の中に何かが入ってた!?

食事の後片づけもしないんだから
カチャ
あ

まだたべてる途中だぞ
よけいな事をするんじゃない!

きゃあーーっ

両ちゃんがこんなところに!?
え!?
いててっ

魔法使いのじいさんにまた小さくされちゃったんですよ!
性こりのないやつだ!

どうしますこのままじゃ仕事になりませんよ
いや!

水道管がつまっていたんだ中に入って直してもらおう
冗談じゃないですよ

ふだん役に立たないんだからこういう時ぐらい協力しろ!
流されちゃいますよ〜っ
助けて〜〜っ

いいタイミングのところで事件です!
なんだと!

キッ
警視庁

状況はどうだ？
犯人は人質をとってたてこもっています

人質がなん名かも中の様子もわかりません
うーむ これでは近づけんな

なんでわしまでつれてくるんだよ みせ物にでもしようというのか…

くるな！
うわっ
だめだ！

とても
近づけ
ませんよ！
小さく
なって
もぐり
こめれば
いいんだ
が……

そうか！
おまえが
いたんだ
！
え!?
なんで
私が!?

この任務は
おまえ以外に
いるか！
中川
テープを
もってこい
やだっ
やりたく
ないよっ

がんばって
内部の状況を
偵察して
こい！
やだあ
私は
いきたく
ない！

人権無視
だあーっ
ひどい！
私は
訴えますよ
やり方が
汚い！

ビッ
うっ
ガシャッ

手出しをしやがると人質を殺すぞ!!
ひぃーっ
おとなしくしてろ!
ガガガ

あいたたっちくしょう!
人をなんだと思っているんだ!

強引に斥候にかりだされてしまった!
もうやるしかない!

えーと犯人は 2名
30歳前後で一見悪人風
悪人面
悪人っぽい服装
武器はエアガン化最有力候補のAUGとS&Wの2丁…と

人質は若い男2名元気であと10時間は耐えられそう……と
ちゃんと部屋の見とり図も入れておくか!
武器は使用不能にするから1時間後に……
COMBAT

この手帳どうやって部長たちに渡すかだ!
おっあいつを使おう
レモン入り

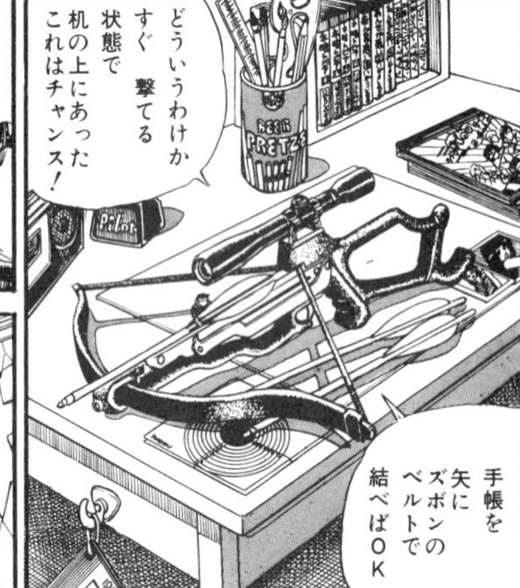
どういうわけかすぐ　撃てる状態で机の上にあったこれはチャンス!
手帳を矢にズボンのベルトで結べばOK
PRETZ
Pilot

部長に届け!

あっ
ヒュン

うわっ
あっ部長!?

犯人が矢を撃ってきたぞ!
何かついてます先輩からの連絡ですよ!

何か…
字らしき物が
書いてあるけど
小さくて
読めません…
あの
バカが
……

おい
顕微鏡を
もってこい
早く!
大丈夫かな
みつかったら
踏みつぶされ
ちゃうんじゃ
ないかな…

この中に
何か
いるはずだ
捜せ!
人質以外
だれも
いるはず
ないですよ!
そんな
はずは
ない!

鋭い
やろう
だな!
早めに
銃を
バラした
方が
いいな

やばい
こっちへ
くる!
ケーキのなまず
NAMAZ

おっ
大好きな
ミニカーだ

おや!?

ロールスロイスはあんなエンブレムだったかな?

ふうあぶなかった!

くそ!かたいな!小さくなると力も弱くなるのか!

ふうやっとはずせた
拳銃もこのハンマーノーズがなければ発火しないからな

次はあっちのライフルか………
むこうは手がかかりそうだ!

ぶわっ

あっこぼれちゃった
こら何してるんだ!

ケーキなんてあとにしろ!もうすぐ金が手に入るんだぞ!
わかったよじゃしまっておくから…
NAMAZU

バダッ
KAGOME COFFEE

ぶはっ
なんだここは!

うひょーっ寒い〜っ冷蔵庫の中だ!

冗談じゃない!だせよーっこら〜っ
こごえ死んじゃうじゃないかっおーい!

出口はないのか!?非常口は!?
何かあったまる物はないのか〜〜〜〜っ

1時間後…強行突破…してくれ…以上です
よし!これで内情がわかったぞ

何これ!?エジプトの象形文字?
ちがうよちゃんとした日本語だよ

そういえば字にみえない事もないな…うーむ暗号みたいだ
日本中で派出所の数人にしか読めないからな…暗号と同じだ

1時間後というとあと10分ですね
信頼しがたいが一億分の一の確率にかけてみよう

いいなあと10分で踏みこむぞ!
足元に両津がいるかもしれんから十分注意するように!

ハラ減っちまった何か たべていいかい?
しようのないやつだな勝手にしろ!

じゃおことばに甘えまして……
ダダ

オレの大得意の焼きソバを作ろう!
まずキャベツを……
ザザ

やった!外に出られた
ありがとうよ
にゅっ

ぎゃああ兄貴ィ!
どうしたんだよ!

キャベツの中から警官がでてきた!
おとぎ話みたいな事いってんじゃねえ!

さっさとたべちまえよ早く!
パシッ
いて!わかったよお!

あっ
ハアーイきみ 元気にしてる!

食欲がなくなっちまった…
そうだ!たべてる場合じゃないよ!

この銃のファイアリングピンを 早くはずさないと!

あっ
ドヤドヤドヤ

バダ
観念しろ!ムダな抵抗はよせ!
兄貴!警官だ!!
チャッ
くそ!

おまえらの銃は使用不能だ
あっ本当だ!
うわっ

どこが使用不能だ! ハッタリいうんじゃねえよ!
や やはり… 両津のバカが…
さすが兄貴!

くるのが早すぎるよ! 時間厳守の堅物・大正生まれめ!!
少しは余裕をもてないもんかねまったく

おかげで人質が増えたぜ! こっちへこい
うーぬ くそ!

銃がこわくて警官がつとまるか!

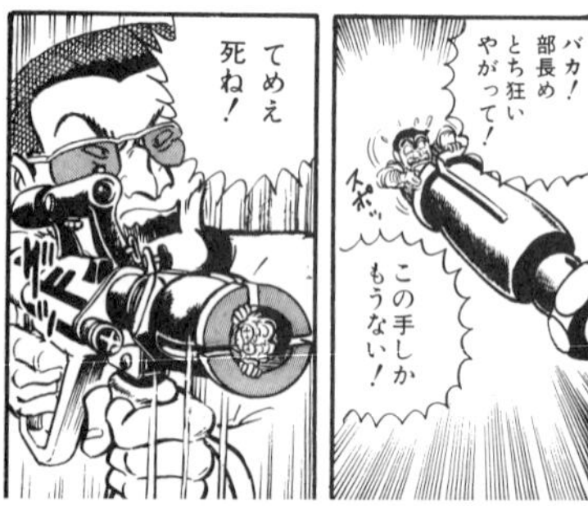
バカ! 部長めとち狂いやがって!
スポッ
この手しかもうない!
てめえ死ね!

★週刊少年ジャンプ1985年13号

オモチャ・クリニックの巻
YAMAHA

あったかく
なったから
通勤が
楽だな！

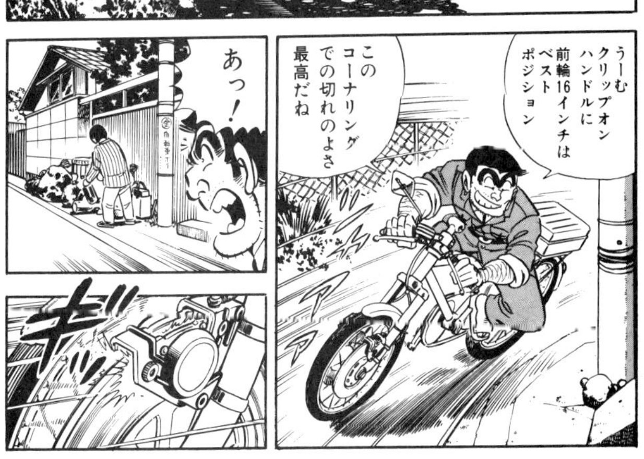
うーむ
クリップオン
ハンドルに
前輪16インチは
ベスト
ポジション
この
コーナリング
での切れのよさ
最高だね
あっ！

ぐおっ
うわっ

自転車にWディスクブレーキは少しょう無理があったようだ
あいてて！

あんたこのオモチャ捨てるのか？
そうですが…

今ちまたでマニアが目を血ばしらせてさがしているブリキロボットじゃないか！
なんでこんなところに？

そんなオモチャほしかったらたくさんあったよ！
なに!?

裏のオモチャ屋さんのおばあちゃんにもらったんだよ！でも子どもがこんな古い物いらないというんでね…
オモチャ屋？このあたりにそんなのあったっけ？

なるほど
こりゃ
オモチャ屋とは
思えんな！
しかし　ようく
奥を　みると
オモチャ類が
無数に
ならんでおる
コカ・コーラ
Coca-Cola
栄養満点　ヴィタミン豊富
高岩パンの店
内科外科馬科
特選病院
でんわ
(681)067
ココハ
白鳥
3-8
渡辺
ジュースの素

「なつかしの
オモチャさがしの
プロ」たちも
この店が
オモチャも
売ってるとは
気づかなかった
らしいな
みごとな
までの
カモフラージュだ

という事は
希少価値の
オモチャ類が
眠っている
可能性が　ある
という事だ！
さっそく
調査団長の
両津さんは
奥へ入るのであった

おおっと！
いきなり
アメリカ製の
初期型Gージョー
一体発見！
やはり
「さがし屋」は
この店に入って
きてないという
事が証明された
金山を
さがし
あてたぞ
！
GI JOE
GI JOE
ロボットくん
よいこの
おままごと
人生ゲーム

さっきのじいさんがいった通りブリキのロボットもかなりあるな!
箱つきとはすごい!! 高値で売れる! やったね!

うわっ

オモチャ屋につきもののバーサンか… びっくりした!
いきなり背後に回りこまれるからこわいよ

ここで 皆さんに古いオモチャを安く手に入れるテクニックを公開しましょう まず これを頭に入れる
①すごく ほしくても顔にださない
②品物を けなす
③お金を もってない ふりをする

一番たやすいのが60歳以上のおばあちゃん! 逆に手ごわいのが元気なおじいちゃん
さて それでは実戦をみてみましょう

ずいぶん古いオモチャばかりだね! はっきりいって売れないよ こんなの!
今時ブリキのオモチャなんて子どもはみむきもしないよ
すげ――っ こんなのまでありやがんの!

この古い
ロボット
いくらで
売るの?
1500円って
かいて
あるね
METRO POLICE
MECHANICAL ROBOT
1500

えーっ
定価で!?
箱なんか
ボロボロだよ
中も少し
さびてるし
10年以上前の
品物だよ
じゃ
500円でいいよ

500円かあ
まいったなあ
今 ちょうど
300円しか
もってないな
……
300円で
いいよ!

まっ
通りすがりに
この店に
よったのも
何かの縁だ
買って
いくかあ

この20年も前の
古くて汚い
Gージョーは
いくらぐらい
するの?
こんな人形
定価の1800円も
だして買う人
いないと
思うけど
100円で
いいよ
GI JOE

ひゃっ
100円…ね
ほしくは
ないけど…
なつかしい
人形だから
シャレで
買ってくかな
ひとつ!
GI JOE

じゃ ロボット
みんな300円
だったね!
これだけ まとめて
買うから少し
まけてくれよ
えっ
こんなに
買うのかい
!
FIRE ROBOT
ROBOT
POWERD
GI JOE
カニパン 30円
100円

これも 人助けだよ
おばあちゃん
ひとりで
この店を経営
してると思うと
気の毒だからね
さっきは
300円しか
ないって
いってたのに
パパ
44

全部で
2200円だね
パ
4
じゃ
きりのいい
ところで
2000円！
まとめて
買うんだから
ねっ
2000円！

しょうがないね
2000円にまけて
おくよ
まだ
倉庫に
残ってない？
古いブリキの
オモチャ
なんか…

こわれた物
しかないよ
もう捨てようと
思ってるけど…
ピクピク
ほお〜〜〜っ

わたしが 捨てて
おいてあげるよ
みんな
もらっていって
いいかなァ？
助かるよ
悪いね
ガチャ
ガチャ

さっき
ブリキの品は
高い値で
売れるとか
いってたけど…
なんなんだい
あれは
ジョーク！
こんなもん
買う人なんて
いるはず
ないでしょ！

うおっす
なんですか そのオモチャ?

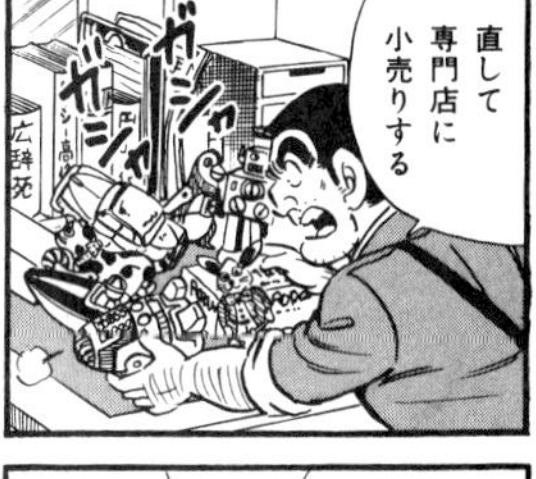
直して専門店に小売りする
ガシャ ガシャ

一個5000円としても10万円以上になる! うらやましいだろ
直せるんですか?

今のとちがって昔のは 単純な構造だからな
ガキのころ手にしたオモチャはすべて分解したから たいがいの物なら直す 自信は ある

むっ やはり
ピニオンギアが
摩耗している
金属のギアと
交換しないと
だめだな
よく やるよ
まったく!
仕事以外は
まめに
働くな
両津!
その通り
金が
からめば
私もからむ…
ん!?

げげっ
ぶっ
部長!!
目を
離すと
すぐ
そんな事を
始めおって!

いえ!!
これには
深いわけが
!
おまえの
いう事は
信用
できん!

中川!
両津は また
商売でも
やるつもり
なのか?
えっ
えーと
その……

あれは 無料で
小学校の
バザーにだす
オモチャを
直している
ところです
なに
本当か!?

あれはむりょうで
小がっこうの
バザーにだす
おもちゃを
なおしてる
ところです
中川が
とっさにウソを
いうとは
思えん
う〜〜む
本当らしいな

いやあ 両津
悪かったな
うたぐったり
して！
いいえ！
わかって
いただければ
いいんですよ

ようし協力して
近所から
こわれた
オモチャを
集めてきて
やるぞ！
えーっ

ばか！おまえが
変な事
いうから
とんでも
ない事に
なったぞ！
先輩が
いわしたん
じゃないです
か！

春の交通

パチン

ガー
ガー
ふう
これで
直った！

なんて事
いうんだ
きさま!
わっ

私の特殊技術が
日本の明日に
役だつよう
いつも 願って
おりました
それほどの
ものでも
ないだろ

あの…
山田ですが
……
あっ
はい
はい

えーっと
山田さんの
修理した
オモチャは
……?
あった
この
クマだ!

ギアボックスに
時どきミシン油を
さしといて
ください
動きが よく
なりますから
はい
お世話様
でした!

だいぶ
板についてきたじゃ
ないか!
まるで
オモチャ
病院ですよ!
一日20件くらい
修理を
たのまれるん
ですよ

お巡りさん
これ
こわれちゃった
直して!
また
きたか!

相当古い
オモチャだね
初期型の
モーターじゃ
ないか
だめだよ
こりゃあ

そんな事いわず新しいモーターを作ってやれ!
私は電機メーカーじゃないんですよそこまでできませんよ
おじいちゃんにもらった物なんだ大事にしてたのに……
そういってもかわりにベビーモーターを移植するしか方法が……
そうだ!オモチャ資料館にいけばモーターがあるかもしれない!
なんだそこは?
浅草にあるんですが交通費もらえませんかね!金が全然なくて!
仕方ないな1000円で足りるな
昔のオモチャが展示してあるところですよそこにオモチャ博士みたいな人がいるんです
そこにこの子つれていってきますよ
駅から歩くんですよだからタクシーでいきますせっかく浅草にいくんだから観音様にお参りして大黒家で天プラをたべて手みやげに舟和の芋ようかん買って花やしきで遊んで…
まあ1万円もあればなんとか!
誤解しないでくださいこの子のためにサービスしてあげるんですあっしは別に!
ちゃんとおつりはもってくるんだぞ!

じゃいこう!
ん!?
中川なんだ…?
部長が見張り役でついていけと!
くそ
自転車でいこうと思ってたのに!

TSU
ツクダニ グループ
おもちゃ資料館
うわっ

ここだよ!
資料館入口

すごい数のオモチャですねえ!
これだけ集まってるところはちょいとないからね!
昭和37年

昭和41年-昭和45年
1966-1970
どうだ このあたり なつかしい だろ！
あまりよく わかりません が……

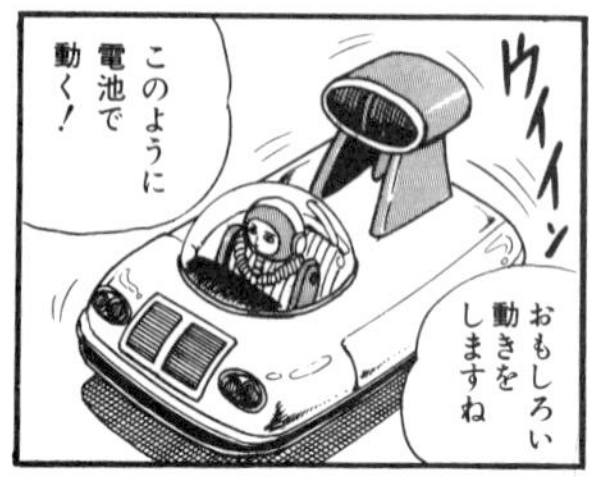
ウイイイン
このように 電池で 動く！
おもしろい 動きを しますね

おもちゃ展
聞き覚えの ある声だと 思ったら やはり 両さんだ！
よう しばらくぶり だな！

相かわらず 下町で オモチャさがし してるのかい？
ダメ！ 元金が 全然 なくてね！

これ 直せるかな モーターが いかれちまってるんだ
ほう

たしか このタイプの モーターが あったな
へえーっ 直る？

赤い目の人形展
なん千もの オモチャの部品が ストックしてある 不可能はない
さすが オモチャ 博士だ！

先輩よりくわしい人なんですか?
あったり前だ わしの先生みたいな人だよ
はい 直ったよ
カチャ
カチャ
うわあ 動いた

さすがプロフェッショナル 15分で直っちゃったよ
モーターのブラシがすりへってただけだ ブラシを再生すればこのモーターも生きかえる

直せばずっと使えるんですか!?
もちろん

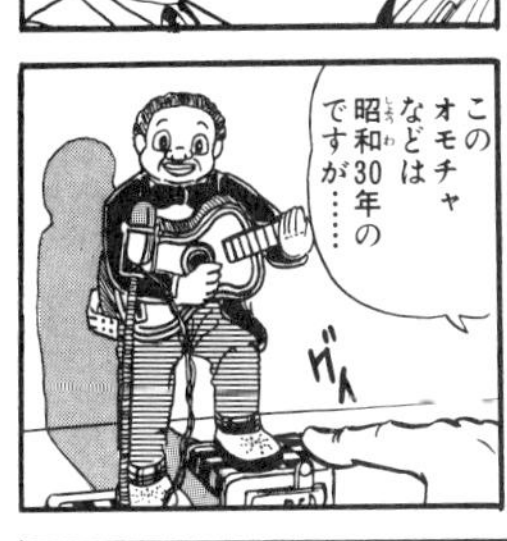
このオモチャなどは昭和30年のですが……

この通り なん十年たった今でも元気に動いている
へえ
ガチャ
ガチャ

物を大切にする心があればオモチャにも通じるものだよ
わしなど8歳の時買ってもらったライフル今でもちゃんとうてるぞ!

この資料館の
3000点の品は
すべて　実動
しますよ
毎日一台一台
点検してます
からね　ひと目で
どこが悪いか
わかりますよ
わが子のような
ものです

すごい
ですねえ
あの人！
わしも　部品
いっぱい　もらった
これで　当分
大丈夫だ！
田辺スズキ店

部長から
もらった金が
ある事だし
さっそく
酒のみに
いこうぜ
ちょっと
子どもは
どうするん
です
先輩！
なまず書店

毎夕新聞　昭和60年　3月20日
下町のオモチャ病院派出所!!
近所の子どもたちに大人気のお巡りさん
「あたり前の事です」と
語る下町警官の両津さん
話題の主は下町生まれ
の両津巡査長。子ども
が大好きなお巡りさん
で下町では有名。
オモチャが
大好きで
日ごろから
両津巡査長談……
「近ごろオモチャも
使いすての時代です。
しかし、そういう
物を大切に
やしなわれ
私は、オモ
コミュニ
あたり前
うれしい
!?なんだと

だからふだんから
いってるでしょ
仕事なんかより
このように才能を
生かし警察全体の
イメージアップを
させる方が 私は
得意だと!

世の中 中身より
イメージが大切です
私に任せなさい!
ひとりで25万人の
警官のイメージを
作りあげてみせます

新聞　昭和60年３月21日

「社会の役にたてばうれしく思います」
オモチャを通じて子どもとふれあい!

わたしが
直します
修理は
おまかせ!

「オモチャを通じ子どもとふれあい物を学んでもらえれば望外のよろこびです」と控えめに語る両津さん。

★週刊少年ジャンプ1985年16号

部長の新車!?の巻

これが
部長の車
ですか!?
へ1985

電車を 待ったり
満員電車の
苦労から
解放された気分だ
ベルルとは
また
しぶい車を
選んだ
ものですな

どうも
昔の車の方が
愛着があってな
友人のディーラー
にさがしてもらい
完全レストアして
もらったわけだ
昔は この車
「動く応接間」と
よばれたくらいの
高級車だった
のだぞ

塗装やメッキも
きれいに
仕上げて
ますね!
なにせ
レストアに
2か月も
かかった
からな
ははは

さいわい年式のわりにエンジンがしっかりしていたまだ20年は走れるそうだ
部長は大切にのるタイプだから大丈夫ですよ

大原部長！課長がおよびです
わかったすぐいく！

今度 中川の車と日光へでもドライブにいこう
いいですね楽しみにしてます

この車でいろは坂を登れるのかよ？だいたい高速道路走ったらバラバラになっちまうぞ
そんな事ないですよ

このナンバーみろ！ 今時こんな車あるか？
文化勲章ものだぞこんな古い車！
5 へ1985

以前はルノーに乗ってたし昔の車が好きなんですね部長は…
人間ががんこで古いからな！今の車は乗れないんじゃないですか！

ブオオオ
おっとあぶねえ
警視

あっ
ガシャッ
警視

ばかやろう車に キズつけやがったな！
バタッ
すいません！
警視

でも そこに自転車を置いとく方も悪いですよ
なんだときさま！運転のプロならよけろ！
あーあ これは目立つなあ

これ みたらまた大魔神に変身してしまうぞ！
どうします先輩！

板金屋に直してもらうしかない！まってろキーを借りてくる

部長ちょいとお話が…
ん？なんだ？

あの名車にぜひ乗ってみたくて中川が 運転しますから 3時間ほどドライブしてきていいですか？
しようのないやつだな！中川の運転なら大丈夫だろ！

ぶつけないでくれよ
なにせレストアに金がかかってるからな
はははは
も
もちろんですとも
ご安心を!

中川
借りてきたぞ
3時間で直す!
じゃ急ぎましょう!

板金塗装
・修理
・解体
有限会社カーフレッシュ亀有

今 食事に出ちゃっていないらしいんですが!
いないじゃすまないよっさがしてこいよ!

じゃ 先輩車の中でまっててくださいよ
わかった早くゆけ

まったく もう部長が血まよってマイカーなど買うからこんな目にあうんだ電車通勤でいいのに!

ふあああ〜〜っ
ゆうべ遅くまで起きてたから眠くなった

ゴロッ
中川が帰ってくるまでねてよう

山田さんから買った車中へ入れておけ!
はい所長!

バシャ
ブオオオ

あれ？

どっちが山田さんの車なんだ？
工員募集
後の車じゃないですか？

汚れているし型も古いし！
よし運ぼう！

グイイ

むにゃむにゃ
ドガ

所長あの車どこに置くんですか？
事故車だからなすぐつぶしてくれ！

事故車とは
思えないな!
しっかり
してるぞ!
縁起が
悪いから
オーナーが
売っちまった
んじゃ
ないのか?

もったいないな
内装も
きれい
なのに……
次は
この車
たのむ!
OK!
先輩……
あれ?
どこ
いったのかな
車も
ないぞ

あいてて
う~む
なんだ
今の
衝撃!?

ばかに
ゆれるな!
地震か?

うおっ

おいこらっ
やめろ!
人が
乗ってるんだ
ぞォ——っ
ストップ!
ストップ!

えっ
あの車
おたくの
だったの？
そうです
中に人が
乗ってたん
ですが…
どこです？
あれ
ですよ！
メキ
メキ
あ!!
ちょっと
ストップ
中止して！
ババ
ダッ
中止って
もう
完全に
つぶしちゃ
ったけど……
えーっ
車の中に
人が
入ってた!?
先輩
しっかりして
ください
先輩！
ここまで
つぶれては…
お気の毒
ですが……
早く
ここから
出せ～～っ
よかった
まだ
生きてた！
車体を
焼き切って
救出して
ください
し
信じ
られん……

目が さめたら いきなり プレスされた！ どうなってんだ いったい!?
よく あのスペースで 生きてたな… 引田天功 みたいな人だ…

部長の車が サイコロに なって しまったぞ
もう 再製 不可能ですよ

てめーっ なんとか しろ～～っ
なんとも なりま せんよ！ あれでは！

ボディーを はがして また のばして 元の形にしろ ベレルに もどせ！ こらっ
先輩 無理です よ！
中古車で なんとか 再現して みますから！
かならず だぞ！ 部長に 殺されて しまう！

比較的 形が似ている セドリックの 初期型をベースに 同じ色にして みましょう
あと 2時間しか ないんだ からな 急げよ！
キャタピラ

所長
それ
エンジン
死んでます
よ……
そうか!
別なのを
乗せるしか
ないいな

じゃ
ポルシェの
エンジンを
乗せろ
そんな
無茶な
!

ポルシェの
リアエンジンを
どうやって
セドリックに
つめというの
かね…あんた
トランクに
つめばいいだろ
スペアタイヤを
だして!

300馬力になって
部長も
よろこぶ
早くつけろ
そう 簡単に
いうけどね!
やな
予感が
するなあ…

今月の見せ物事故車
葛飾警察署

さて
中川たち
もどって
きたかな…

あ
部長!

いやあ 部長！
乗り心地最高！
思わずベンツに
乗ってるのかなと
錯覚するほど!!
ははは
そうか
そうか……

おや!?
え!?
ピク

ドアの
三角窓が
四角に
変わってる
ぞ!?

何いってるん
ですか 部長っ
ベレルは 昔から
こうじゃ
ないすかァ！
乗っていて
気づかな
かったん
ですかァ
やだなァ
そうだった
か…！
勘ちがいだ

うーむ
しかし
前から みた
感じが ちょっと
変わったように
思えるが……
へ 1985

しっかりして
くださいよ 部長っ
これは 部長の車
じゃないですか
どこからみても
そう…
だよな
わしの車の
はずだ…
ライト
グリルが

中川くん
私たちも
いつまでも
油売ってる
わけにいかん
派出所に
もどろう！
はは
はあ

両津！
ハンドルが
左ハンドルに
変わっとる
ぞ………
ピク

いけない！
輸出仕様で
直すはず
だったけど
あわてていて
そのまま…
ばかやろう
そんな
大きな
ところを！

やだなァ
部長には
まいったなァ
初めから
左ハンドル
だったで
しょう！
わしの車…
どうした…

だから
これ！
これが
部長の車
！
ちがう！
わしの車
じゃない！

みてください！
なんと トランクに
ポルシェの
エンジンが
載ってるんですよ
これは すごい！
これで
部長も
ドラッグレーサー！
かっこいいーっ！
今夜 新木場へ
走りに
いきましょう
わしの車は
どうした！

いやあ この車に
乗ってりゃ
パープリンの女が
放っとき
ませんよ！
わしの車は
どうしたのかと
きいとるんだ！

車……ね
あっ あり
ます…よ
みます？
私は
みない方が
いいと思うん
だけど……

じゃんっ
うおおおーーっ

こ これがわしの車…か…
ちょっと形が変わってしまって…

でも 面影ありますよ! そこが 左側のドアで その黒いところがエンジンで……
先輩! よしなさいって!
おい もどろうか!

つけもの石にするとか利用法はいろいろと…

中川 やばい 逃げろ

ズギュ
ひゃあーっ

キュキキキッ

まて!逃げるか!!
すごい加速だ!まるでジェット機だ!
ムチャクチャですよ!
今いった車を追えっ!
えっ!?
ガチャ
警視庁

うわっ なんだ!
ガオム
ギャアアア
気味悪い車だ!
中川 ウイリーしっぱなしだぞ! チョロQとまちがえられるぞ
大馬力の上 フロントのエンジンはずしたから 前が軽くなって浮いてしまうんですよ!
ハンドルもきかないんです!
グワオ
なんと!
ガリ ガリ ガリ
すぐ後に部長がせまってるぞ!
どうしようもありませんよ
ゴオオオオ
止まれっ止まらんかー
警視庁
うおっ

ああいって ますから 止まりましょう!
ばか ここまで きたら あとへ 引けるかっ
もっと 馬力出して 逃げきれ!
あっ
ぐおっ
わっ
おまえと いうやつは… 許さんぞ!
あら!? 部長! むきに なっちゃって 部下のかわいい イタズラじゃ ないすか!

★週刊少年ジャンプ1985年1・2合併号

両津和尚！の巻
改造バイクうるさい
暴走族追放
春の交通
警視庁

なんですと!!
署長室

来週 法事はありますが両津などなんでよばなきゃならないんですか！
冷静に考えるとそうなんだが話が上手でつい まるめこまれたようだ

部長の法事に出席するので金を貸してくれと いわれてな！
真剣な顔でたのむからつい 貸してしまったのだよ

法事で
7万円も
使うはず
ないからな
なんと
7万円も
貸したの
ですか!!

わしを
ダシに使って
署長から
借金を
するとは
なんという
やつだ!
ようし
みていろ!

ブォオオオッ

よう
ハロー
なんです
それ?

アルファロメオ
スパイダーの
組みたて
モデルだ!
7万円もする
高級アダルト
ホビーだぞ
おどろいたか
ドスッ
ALFA ROMEO
2300 SPIDER

7万円も
するんですか
それで!?
その通り!
だからこそ
高度の
テクニックと
経済力が
ないと
作れない!
まさに
わしのために
あるような
モデルだ!
ALFA
SPID
SPIDER
2300

よく　給料日
前に7万円も
ありましたね
そりゃ もう
頭ひとつで
お金など
いくらでも
都合つくもんよ
そうだ！
中川くんも
ベンツSSK
いっしょに
作ろう！
ぼくには
とても
作れま
せんよ
わしが作ってやるよ
たった15万円だ！
すぐ 買ってきてやる
なっ　15万円で
夢を　買おう
15万貸せ！
いいですよ
けっこう
ですよ！
こらっ
ぐえっ
いてえ！
いきなり
後頭部を
ひっぱたく事
ないでしょう
あいてて！
金の
亡者め！
おまえの頭は
金の事しか
考える機能が
ないのか！
いつ 法事に
おまえなど
よんだんだ
え!?
あれえ
ちがった!?
ひょっとして…
ぼくの
勘ちがい
かなア
!?
死んでも
おまえなど
よぶもの
か！

今日はいつもより愛のムチが厳しいですよ部長！
あたり前だ署長から金を借りるとは何事だ！
署長から借金しちゃったんですか？
そうだ！この節操しらずの借金男め！
なるほどそれで7万円のプラモが買えたのか？
なにっ
ALFA ROMEO

いや　あれは…部長　誤解しないでくださいあれは私の金で買ったんですよほんと！
私がコツコツ額に汗をしてかせいだお金で買ったものですよ
おまえを明日から　寺にあずける事にきめてきた！
寺で10日間修行して金に対する煩悩をとってこい！
すわれ
!!
いてっ
あいたた髪の毛がはさまってるいて！

10日間って
勤務の方は
どうするん
ですか!?
今年いっぱいの
有給休暇を
使う!
ちゃんと　署に
届けてきたから
安心していけい
!
まいったな!
勝手に休み
使うんだからな
まったく!
夏休みに
エンジョイ
しようと
思ったのに…
つべこべ
いうんじゃ
ない!
ガ
いてっ

朝
4
時
30
分
チチチ…

ガラッ
ゴ
起床！
ギヤオオオ！
ぎゃあ——っ

昔の消防署じゃあるまいし！
心臓が止まるかと思ったぞ！
じ〜〜ん
着がえてただちに本堂へ集まれ！
丸太の枕なんてどうもおかしいと思ったよ！
こういうわけかよくそ！
どうかねこの寺の住み心地は？両津くん
あっ和尚！
まるで軍隊にいるようだよ！

おまえだけ
修行僧と
ちがうが
同じに扱うため
珍念と
名づける！
私語を
つつしめ！
ふぎゃあーっ
珍念!?
てなもんや
三度笠の
白木みのるの
役みたいだな
残念は
本堂の掃除！
無念と
珍念は
廊下の
掃除だ！
じ〜ん
ぐわっ
こんなに
長いのか
よ！
この寺の
廊下は
大変なん
ですよ！
まてまて
こんな事
してたんじゃ
手間かかって
しょうがねえ
だろ！
えっ
しかし！
要するに
廊下全体を
ふけば
いいんだろ
塔婆を
どうする気
ですか！

こうやって廊下幅いっぱいにしきつめりゃ一回で終わるじゃねえか
おまえ左回りでこっちだわしは逆を回る
全速力で回れば5分で終わるそれ ゆけ!
はは はい
みつかったらやばいな!

終わったさあメシだ!
ありゃメシはどこだ!
これですよお寺は精進料理ですから
なにいたったこれだけか!
胃かいようで食事療法やってんじゃねえんだぞまったく!
それも野菜ばかりわしはキリギリスか

頭から邪念をすて 無念無想で座禅を する!
はじめ!!

喝
ぎゃっ
邪念をしていたなおまえ!
どうしてわかるんだよ!
私のように偉くなると考える事がすぐわかる
ちぇっ
喝
ぐわっ
おまえ「どうせウソにきまってる」と考えたろ
そんな事思わないよ勝手に作るな!
なんだその口のきき方は!
反省しなさい!
いていてて!
わしをただの茶坊主といっしょにするな!このやろう!
くそ!!
おっ警策つかみ!

ビシッ
ぐわっ
この寺の僧はみんな拳法つかいますからかないません
ビクッ
ちくしょうさすがに動きが早い！
テレビもねえラジオもねえマンガもねえなんにもねえ！
つまんねえ寝るしかねえ…ってわけか冗談じゃねえよ！
早く寝ないと明日がつらいですよ
ハラへって寝られるかすしでも出前たのもうぜ
無理ですよそんなの！
たとえ注文できてもこの寺に届けられませんよ警戒がすごくて！
大丈夫だよ夜だから！

ガラッ
大丈夫かみててくださいよ

ザザッ

パ
パ
ドイツ軍なみの厳戒体制ですよこのお寺は！

以前に脱走してつかまった小僧は20日間断食させられましたよ
やっぱり寝るしかねえようだな！

チチチ…
まったく広い寺だ！掃除する身になって建てたらどうだ！
ザッ
ザッ

ちょっとひと休みするか

まったく！こんな寺ぶっこわしてスーパーにでもすりゃいいのに！

両津くん!
ブッ
はははい!
ゴホ
ななんでしょうか
ゴホゴホ
これからみんなでお葬式にいってくる夕方にはもどるからたのむよ
なんでも偉い僧侶が亡くなったらしいですよ
東京中の住職さんが集まるんですって
坊さんが坊さんの葬式にいくのか…まぬけな話だな!
やったな! 今日はこの寺わしたちだけだぜ!
掃除なんてやめ!
夕方までのんびりできますね
和尚さんたちは!?
今ベンツでお葬式にいっちゃったけど……
残念どうかしたのか!
今日10時から法事があったんだてっきり明日だと思っていたんだけど
えーっなんだって!
どうしようもう人が集まってるんだみんなぼくが悪いんだ!
和尚さんよんでこようよ!

わしが
和尚の
代理って事で
いってやるよ
!
えっ
珍念さん
が!?

なーに
わしは
ごまかすのは
大得意だ
まかせろ!
ありがとう
ございます
!

どうも
ご苦労
さまでした
!
うむ!
神を
信じなさい
それでは
アーメン

これ
お経代です
和尚さん
あっ
そう

ふう
なんとか
なったな
お経の本
漢字ばかりで
全然
読めなかっ
たよ!

お経代なんてもらっちゃって良心が痛むなあ
2000円もつつんでくれたのかなあいつ！

ズン

すげえ…20万もある……
坊主丸もうけだすごい！

お帰りなさい！どうでしたか！
おう！バッチリだありがた～いお経あげてきたぞ！

刺身の盛りあわせ10人前注文しとけ！和尚たちが帰る前にパーティーだ
えっでも代金が！

ばか！これから僧侶になるってやつがそんな俗なこと考えちゃいかん！酒屋にも注文しとけよ！
はははい

珍念さん今和尚さんの弟さんから電話が入ってますが……
なんの用だ!?

カゼひいて法事にいかれないので和尚さんにかわりにいってもらえないかと…
よろしい私がでましょう

はい　はい
場所は？
千葉……
はい！
今日の
1時…
はい！
大丈夫です
和尚さんに
伝えときます

大丈夫って？
どうするん
です！
私が
かわりに
出席する！

先ほどの
法事で　やっと
目が
さめたのですよ
法事を
断っては
バチが
あたります
仏の道に
反する事を
してはいけない
エロイム
エッサイム

刺身のほかに
すき焼きも
追加！
上等な肉
注文しといて
3時には
もどるから
はい

スクーターを
チューン
ナップ
しやがって
あの坊主
馬力が
ありすぎて
あぶねえじゃ
ねえか！
ガッタン

大原
大原!?
見覚えの
ある名前
だな！

げっ
大原部長がいる!?
部長の兄弟の法事だしまった!

あっ
和尚さん

すいませんね
おいそがしいところ!
あっ
いや!
別に
いそがしいと
いうわけ
じゃ……

弟です!
こちらが今回 代理できていただいた和尚さん
そうですか
よろしくたのみます
はは
はい!
ゴホ
ゴホ
ゴホ
ゴホ

カゼですか
和尚さん
そうなんですよ
じゃ また
あとで!
ゴホ

やばい事になったな
しかし
お経代もらうまでは
帰れん!
なんとかごまかし
通すしかない!
ぼくのおもちゃ

それでは
始めます

私ども同じ宗派でも多少　異なり ますがご了承ください
お経が　早く感じられる事がありますがひとことの内容が　深くなっております

おほん
南無……

終わりでございます

そんなに部下と感じが似てるのか?
バカでどうしようもないやつなんだサルなみというか……
ピク

さらにお経は続きます
そこの人にちょっと手伝っていただきたいのですが……
すくっ
はい

お経あげる時に そこで3べん回ってワンとないてください
えっなんのために?
宗派が異なるといったでしょやりなさい

南無……
わん!

両津！下に1万円落ちてるぞ！
えっどこ!?
どこにあるの？どこ!?
ザッ
ザッ
ザッ

実力で
住職に
なったとか
さんざん
うそぶいて
いましたよ

うちでも
すき焼き
パーティー
やってましたね
予定の時間より
早く帰ったら!
お寺で!?
まったく
なんて
やつだ!

しかし
かれも毎日
ここで反省
している
ようだよ
ガラッ
ほう
なるほど

両津は
みがくのが
得意だったからな
今度は 京都でも
出張させますか
!
あっ 部長
助けてくだしゃい
体が もちましぇん
疲れて ハラが へって
体力も
もちましぇ〜ん
こらっ
さぼるんじゃ
ない!

★週刊少年ジャンプ1985年19号

ボーナス争奪戦！の巻
WANTED
両津(男)
借金男

エクゾースト 酒店
ヨシムラ
出前は敏速!
店員は元プレスライダー
澤之亀
清酒
1 CUP
大関
SUNTORY
YAMAHA

出入り口は正面と裏門そしてこの通用門の3つだ
警察署
正面
裏門

このいずれかから両さんがボーナスをもって出てくる我われは3組にわかれ出てくるとこをとりおさえる
なるほど

しかし去年などは壁を乗り越えて脱出しました
米屋さんと酒屋さんの2名が自転車で巡回する予定だその点は大丈夫だと思う

問題は 変装して脱出する可能性もある事だ!
以前女装して逃げられた事が ありましてね
チェックを厳重に行いましょう

いつも「あとですぐ払うよ」といわれて とうとう年末まで きてしまったからね
このボーナス期をのがしたら今度 いつもらえるかわからんからね

あの人の自堕落な性格を直すためにも心を鬼にしてとりたてましょう
オー
がんばりましょう!

亀有公園前
交通

やった！待ちに待ったボーナスだァ!!

この時期こそ公務員になってよかったなあと心の底から思える！生きていてよかった！
うっうっ
うっ
オーバーねえ

ばかもの！一般企業ではボーナスがカットされたり不景気でないところもあるのだぞ！
下克上のこの世の中サバイバル時代なのだ！

その中にあってわが警視庁の安定感を見よビクリともしない！
革命でもおきない限り給料は　支給される　そこが親方日の丸のすばらしいとこなのだ！

これ以上の大樹は　ない！わしが警官の道を選んだのはその一点だ！
どんな時代の波が　こようとなんなく乗り越えてしまう大型タンカーのようなたのもしさこれだよ！

私の老いたる父親は　浅草でつくだ煮屋を経営しておるがその悲惨な事
世間の波どころか町内の波にもすぐ影響され経営不振になってしまう
まるでウインドサーフィンだ

だいたい 今時 つくだ煮など 売れるか? 若者が つくだ煮 たべるか? オヤジは 時代の読みなど まったくない いきあたり ばったりの 生活ぶりだ

それを 見て 幼い勘吉ちゃんは 思ったね おとなになったら 絶対 父ちゃんの 二の舞は よそうと! 安定した 警察官になって ボーナスで BMWを 買って 環七を10往復 しようと!

そのような 思いが あるから こそ! ボーナスの うれしさは 人一倍なのだ
きみたちも 私のように 将来を 設計し 自分の道を 選ばんと いかん!

私は これから 署にボーナスを とりにいってくる
部長には パトロールに でたと いっとく ように!
先輩 子どもの ころから しかられて 警察へきていて そのまま ズルズルと警官に なったと聞いてた けどね
それが 真相よ!
いきあたり ばったりの生活は 現在そのまま だもんね 自由業並みよ
とても 安定してる とは 思え ないな……

ボーナス日は
師走の風も
暖かく
感じるね
年末大安売
COFFEE
大安売り
ラン
ラン

キッ
おや!?
フジカラー
なんか
つけられてる
気が
するな?

年末大売出し
年末大売出し

ただ今　両さんは
青戸を通過!
あと10分ほどで
署につく!
了解!

に注意

もう ここに着くころだ配置につけ！
はい
警視庁

到着！

おや？借金とりがひとりも待ってないとは……完全にあきらめたのかな？
警視庁

さっきまで商店の人たちきてたけど何か あったのかな？
急にいなくなったな
ピク

スタッ

パトカーのかげにひとり……プラモ屋だな
警視庁

もうひとり…
酒屋もトラックのかげにいる

借金とり ひとり みつけたら その5倍は いる！ 敵は 10人前後 か……
やはり あとを つけられてたか 不覚だった！
警官募集

うかうかして おれんぞ こっちも！
ただちに 作戦を 練らねば！

様子は どうだ！
今のところ 気配は ない！

空手部の 学生を ふたり連れて きたから ここの守りは 完璧だよ

常識の通じる 相手じゃ ないからな 油断するなよ
まかせて おけ！
キ キー

うーむ はんぱな とり囲み方 じゃないな！
今度 ばかりは えらく気合いが 入っている

パトカーのトランクにでもかくれて脱出するか
何しているんだそんな物もって……
げっ部長！
いや…そのそう！バードウオッチングをしてまして…はい！
あっ鳩だ！すごい！
署内でそんな事するんじゃない！
派出所にいるはずのおまえがどうしてここにいるんだ！
係長によばれてましてちょいと！
用事がすんだらさっさともどれよ！
はいもちろんです！
ふ――っやばかった！
中も外も敵ばかりだまいったな！くそ！

まだどこからも連絡がありませんね
うむ! おや?

ダダッ
きた! 正面から強行突破だ!

待て! 両さん 借金を返してもらう
うわっ
ガバッ
こちら正面入口 両さんをつかまえた 集合してくれ!

あ!?
両さんとちがう!

交通違反でまっていたら 角刈りのお巡りさんがこの服を着て正面から出たら違反を許してくれるといったので…
しまった! おとりだ!

もしもし! 今 裏から両さんらしき人が出ていきましたけど…
本命は裏だったのか!
やられた!

ざまあみやがれ 気づいた時は後の祭りだ

ここまで
逃げりゃ いい
喫茶店で
ひと息つくか
SNACK・TEA
coffee
取り消しくん
UCC
コーヒー

ブロロロロ…
おっ
あぶねえな
こいつ!

あっ
借金とりの
連中!
スト酒店

どうして
ここが
わかったん
だ!
以前
逃げた時に
2度
この喫茶店に
立ちよってるん
ですよ
COFFEE
coffee
両さんの行動は
プラモ店の
ご主人が
マイコンで
データを
とってます
からね

返して
もらいますよ
酒代8万円
飲み代4万
プロパン代
1万円!
わかった
わかった!
ガヤ ガヤ

皆さん
おちついて
ください!
喫茶店の
前で直談判
されても
店に迷惑
ですから
場所を
変えて…ね

私は 返さないと
ひとこともいってないでしょ
ねっ 誤解のないように!
ほら この通り
ボーナスは手を つけず
ちゃーんとあるんです!
じゃ どうして逃げるんですか!
そうだ!
私は ただひとりで
考える時間がほしかった
だけですよ!
ふだん皆様方には
なみなみならぬ
ご恩が ありますから
せめて返す時は
利子をつけてと!
それが 浮き世の
義理てェもんじゃありませんか!
その利子を
どうわけようか
思案するため
あの喫茶店に
立ちよった
わけですよ
どうもいいわけがましいな!
信用しがたいんですよね
この人は…
ううう
なんて鬼のような人びとなのだ…
私が 心を開いて
正直に話しているのに信じてくれないなんて……
ウウ…
ウウ…
しようがない!
信じる事にしますか!
いや! 私は信用できません!
まあ まあ
返すというのだから
じゃ 両さん
これ 全員の請求書だから
ううう ひっく! はい
払いますよ! ちゃんと
すくっ

なーんちゃって
あっ
にげた!?
川を泳いで逃げるぞ!
だからいったでしょうが!
あの人とはもう10年もとりあいしてるんですよ私は!
すいません!
まてっ
くそっしつこいな!

ボーナスは絶対渡さんぞ
あっ下水道に入っていったぞ!
ドブネズミみたいな人だな

近くのマンホールを固めろ！
はい

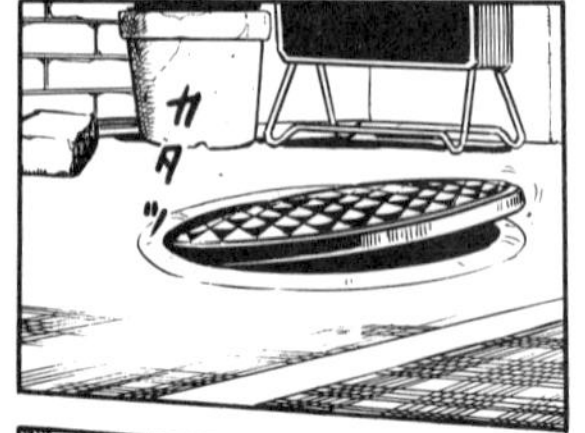
カタッ

3キロも離れたところから 現れるとは思うまい

両さん もう逃がさないよ！
げっ プラモ屋のオヤジ！
ガッ

ばかなっ どうしてわかったんだ!?
喫茶店の前にいた時発信機をつけておいたのさ！
ピーピー

ふふふ 負けたよ さすがプラモ屋メカに強いな
ふふふ だてに10年も追いかけていない

あんただけ優先して金を 返すよ さあ 手をはなしてくれ！
私はそれほど甘ちゃんじゃないよ！
あっ

こ こらっ 警察の備品をかってに！
これでもうはなれられない！
ガチャ ガチャ

これで　いい
もうすぐ
みんなが
くる!
ちくしょう
カギ
もって
ないの
しっていて
かけ
やがった!
ガチャ
ガチャ
山田だ
現在地
お花茶屋一丁目
両さんを
つかまえた!

ちょっと
こっちへ
きなさい
グイッ
何を
する!

この男　空巣に
入ろうとしたところ
現行犯逮捕
しました　手続き
お願いします
ほう
それは
ご苦労
だった!
警察官急募!
ガチャ
ちょっと
両さん
何いってる
んだい!

失礼
します!
警察官募集

お巡りさん!
ウソですよ
私は　ただの
プラモ屋です
このお巡りさんと
友だち!
仲が
いいんです
よ!

寸借サギ
やっていたようで
こういうの
得意なんです
うむ
そう
らしいな
おいこら
よして
くれよ!

くわしくは
中で
きこうか？
ゆっくりと！
そう
そう
中で話し
なさい！
ちがうって
犯人じゃ
ないんん
ですよ！

ふう
これで
ひとり
減ったか！

あっ
いた！
両さんだ
!!
おい
いたぞ！
ブロロロ…
まずい
もう
きやがった
！

一難去って
また　一難か！
休んでる
ヒマも
ない！

車だと
しって
屋根に
逃げたぞ
我われは
追うから
車は
う回して
くれ…

まて――っ

まて──っ
まってたまるか!

ピタッ
タッ

さすが逃げ足だけは早いな!
タッ

そのふたり組逮捕に協力してくれ!凶悪犯だ
あっいつの間にうしろに!

おいみんなつかまえろ!
ちちがうんですって!うわっ
これで またふたり減った!

車のやつらしつこいな!
ブロオオオ
まて!

かくなる上は
体力で
ふりきる！
ビルディング
クライマー
だ！

あっ
あんな
ところに！
ちょっと
止めろ！
キキィ！

だれか
つかまえろ
！
無理ですよ
あんな
ところまで
！

どうだ！
おそれ
いったか！
おろか者っ
私の体力と
肝っ玉は
なみはずれ
なんだぞ！

血と涙の
結晶を
おいそれと
渡して
たまるかっ
ヒュウウ

うひゃ
——っ

きゃあ――っ
おちた!?
このボロビルめ!
ボーナスも使わないうちに死んでたまるか!
ヒュウ
ぎゃあ――っ
ボボーナスがおちる!
ヒラ
ふ~~っ
あふなひ!
うがっ!?
うがが ふがひ ががっ
ズルズル
ふんがあっ
だひ! だひ! だひ~っ
ヒラ
ふぎい~~っ
ふがああ だひ~~~っ

こちら葛飾区亀有公園前派出所⑬(完)

★週刊少年ジャンプ1985年３号

解説エッセイ「両津勘吉は、香港映画のようにたくましく貪欲だ！」

秋本鉄次（映画評論家）

僕の机の上には、ごひいきの美人女優の写真（キム・ベイシンガーとかシャロン・ストーンとか、要するにパツキンでケバいキツいグラマーが好み）とともに、なぜかあのむさい両津勘吉がニカッと笑った絵が今もピンナップされ、パツキン女優ちゃんたちと絶妙のコントラストを醸し出している。

ちなみに作者、秋本治氏と偶然同じ秋本姓の私だが、もちろん、秋本治氏の親類縁者ではなく、一面識もないただのファンである。ただし、同姓であることを誇りに思っている。

そう、私は確信犯的〝両津主義者〟なのだ。身上書に『尊敬する人物（架空も可）』とあったら、思わず〝両津勘吉〟と書きたい衝動を押え切れないほど。少々オーバーに表現すれば、両津勘吉はわが人生の師であり、『こち亀』は座右の書でもある（もちろん『カメダス』も愛蔵している）。おいおい、そんな尊敬する両津勘吉を呼び捨てにしていいのか、って。

いいの。タメグチを勝手にきけるほどの親しみやすさが彼の持味なんだから。秋本（いい苗字だ！）麗子巡査だって先輩を平気で〝両ちゃん〟とタメグチきいていたじゃん！

ところで、この『こち亀』は現在、少年漫画史上最長不倒連続連載記録を更新中だそうで、単行本も百巻を越えている。１０１巻からはタイトルロゴなどをマイナーチェンジしたものの〝両ちゃん〟はいささかも変わらず衰えず。無人の野を征くがごとくで、壮観というか、平伏というか。〝継続は力なり〟といった次元を越えてスゴイことなのだ。

10代のころはほとんどのコミックスを読み、20代に入ってからもかなり読んでいた。その20代のサラリーマン時代、営業マンだった僕のサボリの友は『こち亀』だった。喫茶店でモーニングセットをパクつきながら〝両ちゃん〟を読むと、憂鬱な仕事から解放された気分になれた。仕事はテキトウ、遊びは真剣の〝両津主義〟に染まったのもこのころだ。その通り実践したら上司に叱られる毎日で、3年ちょいとでサラリーマンを辞めるハメになった。やがて30代になると読むコミックスも極端に少なくなり、アニメは全然見なくなった。その中で、今も現役バリバリで愛読しているコミックスは『こち亀』を筆頭にせいぜい両手程度だろう。思えば、『こち亀』連載開始の76年は僕が社会人になった年だ。『こち亀』とともに〝大人の年輪〟（？）を積み重ねてきたわけだ。おまけに私も秋本治氏と同じく52年生まれだもの。勝手に親近感！
101巻目の表紙は、〝両ちゃん〟が競馬新聞を肩にはさみ、耳にはイヤホンと赤エンピツで競馬中継を聴き入っている絵だった。この4半世紀ずっと競馬をやってる僕は〝両ちゃん〟も変わらんなあ、と嬉しくなってしまった。第26巻3話「両津式貯蓄法!?の巻」から5話「惑惑中年!?の巻」は競馬好きをニンマリさせるエピソードとして忘れられない。
そんな〝両ちゃん〟の変わらぬ魅力は、もう各方面でいわれているように、遊びとか勝負事とかにやたら燃えるタイプであること。価値観の違う2つの世界、世代をいとも簡単にクリアできること。それがいかにも一見融通のきかなそうなオヤジタイプ（全警察婦人警官不人気投票一位！）にもかかわらずだ。次々と登場する新しい遊び事をまるでサーフィンのようにスイスイと乗りこなしつつ、昔からの遊びであるベーゴマやセミ取りも名人級！　遊びのことなら古今東西何でもござれ、そして並外れた体力が武芸百般を網羅する。
〝両ちゃん〟は〝文武両道〟ならぬ〝遊武両道〟の達人なのだ。だから、珍しく〝文〟に目覚めて（？）ベストセラー作家になってしまう「文豪・両津勘吉先生の巻」（57巻1話）が笑えたっけ。
10代から50代以上まで、世代を越えた幅広い人気を誇る『こち亀』に対して、これまで各界の多くのファンが賛辞を献じてこられたが、私は映画評論家のハシクレなので、何とか映画にちなんで〝両ちゃん〟にオマージュを捧げられないだろうか、と考えた。
〝両ちゃん〟はどこの国の映画、あるいはどんな映画人にたとえられるだろうか。例えば日本映画の〝寅さん〟はどうか。ギネスもののシリーズ化、そしてキャラクターの共通項などなど。だが、〝寅さん〟には古き良き日本と昔気質の主人公はあっても、最新の遊びや流行を次々と取り入れ、使いこなすという離れ業とは無縁だった。それに渥美清の死去で〝寅さん〟は消滅してしまったし。現役主義の僕は却下したい。じゃあヨーロッパ映画か。イギリス映画？　あんなに暗くないゾ。フランス映画？　あんなに芸術ぶって気取ってないゾ。イタリア映画？　マカロニ西部劇などを生んだバイタリティーは近い感じもするが、最近イタリア映画は元気ないからなあ。スペイン映画？　こちらも近いけど、まだまだマイナー・イメージ。いっそアメリカ映画か。そのパワー、そのスケール、その豊富な遊び心、そのリーダーシップ、多彩なジャンル…。「スピード2」の音楽担当・小室哲哉氏と秋本治氏の対談もあったし、『こち亀』＝ハリウッド映画論をぶちかまそうと思ったが、〝両ちゃん〟のジャワ原人、北京原人的風貌をしげしげ見ていると、こりゃやっぱり東洋だよな、と思い始めた。

東洋で一番バイタリティーと活気のある映画界といえば、もう香港映画にキマリ金時だろう。『こち亀』が人気急上昇してきた70年代後半は、香港映画もジャッキー・チェンというスターを得て、70年前半のブルース・リー以来の人気を獲得しており、互いに現在もその活況を継続中という点でも酷似している。

カンフー・アクションだけにとどまらず、カーチェイス、爆破シーン、銃撃シーンをふんだんに取り入れた現代娯楽アクションの追求、そして香港映画お得意のコメディー、そしてコテコテの人情ドラマも時々含まれたり、〝香港ノワール〟と呼ばれたギャング・アクション、さらには伝統の時代劇アクションなどなど。とにかくブームにめざとく、イイと思ったらすぐに取り入れる逞しさ、豪胆な胃袋、柔軟な発想、さらにはご都合主義が肩で風切って歩いているような小気味良いいいかげんさ、天性の遊び心、ジャッキー・チェンのように人間技とは思えないような危険なコトも平気の平左の命がけアクション。そして経済観念が発達していて金銭に異常にシビアなとこ。おまけにネエちゃんはとびきりキレイだ、などなど。どれをとっても〝両ちゃん〟の世界とピッタシではないか。実際、〝両ちゃん〟と香港のホットな関係は、第66巻8話「トビます！香港珍道中の巻」と9話「香港大チェイスの巻」で実証済み。実に相性抜群と見た。

さて、現実の香港は97年の7月1日をもって中国に返還され〝一国二制度〟のもと〝特別行政区〟となって今後進むことになったが、仮に巨大な中国を警察機構としたら、香港は〝亀有公園前派出所〟のようなものかも知れない。あるいは〝両津勘吉〟かも知れない。香港も〝両ちゃん〟も、決して飼い馴らせない愛すべき貪欲な野性児なのだから。そう考えると香港に対する愛着がまた涌いてきた。〝両ちゃん〟に対する親近感がまた増えて来た。これが私的な『こち亀』＝香港映画論！

いずれ、返還後の香港を舞台にした〝両ちゃん香港リターンズ編〟も秋本氏に描いて欲しいなあ。遊び心たっぷり、新しいものはドンドン取り入れるけど、本質は不変！　そんな〝両津主義〟がありゃ、人生コワイものナイヨと、きっとジャッキー・チェンも言ってくれると僕は確信している。なっ、両ちゃん！

掲載作品は集英社より刊行されたジャンプ・コミックス『こちら葛飾区亀有公園前派出所』第42巻（1986年9月）第43巻（同11月）第44巻（1987年1月）の中から、著者自らが精選して収録したものです。

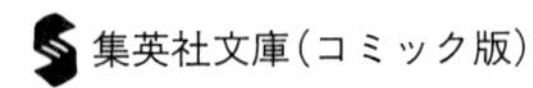

集英社文庫(コミック版)

こちら葛飾区亀有公園前派出所 13

1997年8月17日　第1刷
2009年7月31日　第3刷

定価はカバーに表示してあります。

著　者　秋本　治

発行者　太田富雄

発行所　株式会社　集英社
東京都千代田区一ツ橋2－5－10
〒101-8050
電話　03 (3230) 6251 (編集部)
03 (3230) 6393 (販売部)
03 (3230) 6080 (読者係)

印　刷　図書印刷株式会社

ISBN4-08-617113-9 C0179